Ich schenk dir eine
Geschichte 2015

cbj

Welttag des Buches 2015

Wir danken den Buchhandlungen,
die mit ihrem Engagement dieses Buch
und den Welttag unterstützen.

Wir danken folgenden Firmen, mit deren
freundlicher Unterstützung dieses Buch
ermöglicht wurde:

Arctic Paper Mochenwangen
(Textpapier)
Tullis Russel Company, Schottland
(Umschlagkarton)
Uhl + Massopust, Aalen (Satz)
Lorenz & Zeller, Inning (Repro Innenteil)
Repro Stegmüller, München
(Umschlagrepro)
GGP Media GmbH, Pößneck
(Druck/Bindung)
VVA Vereinigte Verlagsauslieferungen,
Gütersloh

Ich schenk dir eine Geschichte 2015

Dirk Ahner

Die Krokodilbande in geheimer Mission

Mit Illustrationen von
Dagmar Henze und Marina Rachner

Herausgegeben von
der Stiftung Lesen
in Zusammenarbeit
mit der Verlagsgruppe
Random House,
der Deutschen Post
und dem ZDF

cbj Kinder- und Jugendbuchverlag
in der Verlagsgruppe Random House

Verlagsgruppe Random House FSC® N001967
Das in diesem Buch verwendete FSC®-zertifizierte
Papier *Pamo Classic* wird produziert von
Arctic Paper Mochenwangen.

Einmalige Sonderausgabe April 2015

Umschlagbild: Dagmar Henze
Innenillustrationen: Marina Rachner
Umschlaggestaltung: VGB-Werbung
cl · Herstellung: wei
Satz: Uhl + Massopust, Aalen
Druck und Bindung: GGP Media GmbH, Pößneck
ISBN 978-3-570-22524-0
Printed in Germany

www.cbj-verlag.de

Vorwort

Ein geheimnisvoller Brief, mit 15.000 Euro gefüllt, bringt die Freunde Danilo und Mike auf die Spur organisierter Tierschmuggler. Gemeinsam mit ihrer Freundin Jo nehmen sie als Detektiv-Kommando »Krokodilbande« die Ermittlungen auf. Plötzlich stecken sie mitten in ihrem ersten Fall. Doch je mehr sie den Ganoven auf die Schliche kommen, desto stärker begeben sie sich selbst in Gefahr.

Spannende Verfolgungsjagden, knifflige Aufgaben und unerwartete Wendungen – der Roman »Die Krokodilbande in geheimer Mission« zum Welttag des Buches 2015, der in diesem Jahr 20-jähriges Jubiläum feiert, hat alles, was eine gute Krimi-Geschichte braucht. Und wer steckt am Ende hinter dem Tierschmuggel? Findet es gemeinsam mit den Freunden der Krokodilbande heraus!

Der Autor Dirk Ahner hat den Roman exklusiv

für den diesjährigen Welttag des Buches geschrieben. Alle 4. und 5. Klassen können sich auch in diesem Jahr wieder ein kostenloses Exemplar des Welttagsbuches gegen Vorlage eines Buch-Gutscheins in Buchhandlungen abholen. Wir freuen uns sehr, dass sich so viele Buchhandlungen an der Aktion beteiligen und es möglich machen, dass ihr heute das Buch in den Händen halten könnt. Dafür möchten wir uns bei den Buchhandlungen ganz herzlich bedanken.

Jetzt wird es aber Zeit, die Tierschmuggler dingfest zu machen! Begebt euch gemeinsam mit der Krokodilbande auf geheime Mission. Ganz viel Lese-Spaß wünschen euch

Jürgen Weidenbach
Verleger und Geschäftsführer cbj Verlag

Dr. Frank Appel
Vorstandsvorsitzender der Deutschen Post AG

Dr. Jörg F. Maas
Hauptgeschäftsführer der Stiftung Lesen

Thomas Bellut
Intendant des ZDF

Kapitel 1

Ein gelungener Streich

Danilo kauerte hinter dem Ligusterstrauch und fragte sich, ob sein Freund Mike nicht langsam ein paar Schrauben locker hatte. Wie ein Jäger auf der Pirsch robbte er an Danilo heran, die flachsblonden Haare unter der Kapuze seines Pullis versteckt, die Hände an einem Fernglas, mit dem er die Straße im Blick behielt.

»Leise jetzt! Er wird jeden Augenblick hier sein!«, flüsterte er.

Wenn Mike langweilig war, fielen ihm die verrücktesten Dinge ein. Meist spielte er den Leuten kleine Streiche. Diese Woche war er besonders erfinderisch gewesen: Am Montag hatte er in seinem Mietshaus sämtliche Klingelschilder vertauscht, sodass die Nachbarn fast verrückt geworden waren. Am Dienstag hatte er Senf in die Zahnpastatube seiner Mutter gefüllt, am Mittwoch den Arbeitskollegen seines Vaters eine Schachtel Pralinen geschenkt, gefüllt mit feinster Chili-Soße. Heute war Donnerstag und heute war der Briefträger Felix an der Reihe.

»Warum ausgerechnet Felix? Der ist doch total in Ordnung«, sagte Danilo.

Mike sah ihn warnend an. »Nicht so laut, Mann. Er darf uns doch nicht hören.« Flüsternd fügte er hinzu: »Eigentlich will ich ihm helfen.«

Ratlos kratzte Danilo seinen struppigen schwarzen Haarschopf. »Du willst ihm helfen, indem du ihm einen Streich spielst? Wie soll das denn gehen?«

Niemand konnte so breit grinsen wie Mike, wenn er von einer Idee überzeugt war. »Das wirst du schon sehen. Achtung, da kommt er!«

Tatsächlich: Pünktlich wie ein Schweizer Uhrwerk erschien Felix auf seinem gelben Postrad. Er war ein schlaksiger Rotschopf, der stets gute Laune hatte. Selbst wenn er im strömenden Regen Briefe austrug, pfiff er fröhlich vor sich hin. Heute war das seltsamerweise anders: Als er von seinem Rad stieg und sich die Posttasche über die Schulter warf, wirkte er schrecklich aufgeregt.

»Was ist denn los mit ihm?«, flüsterte Danilo.

»Er hat ein Einschreiben für Sarah. Das muss er persönlich übergeben.«

»Deine Nachbarin Sarah? Schwärmt er nicht für die?«

»Und wie! Aber wenn er sie sieht, bringt er kein Wort heraus. Deswegen braucht er Hilfe von einem Experten.« Mit einer großspurigen Geste deutete er auf sich.

Danilo verdrehte die Augen. Mike war sein bester Freund und immer zur Stelle, wenn man ihn brauchte. Allerdings konnte er manchmal auch ein ganz schöner Angeber sein. »Woher weißt du eigentlich von dem Einschreiben?«

Mike stöhnte leise. »Weil ich es ihr geschickt habe, du Oberdussel. Und so was will Kriminalkommissar werden!«

»Grasdackel!«, gab Danilo zurück.

»Affenprinz«, flüsterte Mike.

»Kohlkopf.«

»Klapskalli.«

»Klapskalli? Was soll das denn sein …?«

»Psst!« Mike legte ihm die Hand auf den Mund. Im selben Augenblick ging Felix mit einem Brief in der Hand zum Gartentor. Er blieb unmittelbar vor dem Versteck der beiden Jungs stehen und klingelte. Kurz darauf waren Schritte hinter der Haustür zu hören.

Mikes Nachbarin Sarah öffnete die Tür. Langes kastanienfarbenes Haar fiel über ihre Schultern und ihre braunen Augen lachten. Mike mochte Sarah. Er konnte gut verstehen, warum Felix für sie schwärmte.

»Felix!«, rief sie freudestrahlend. »Warum klingelst du denn?«

Felix wurde rot wie eine Erdbeere. »Ich habe ein Einschreiben für dich«, sagte er.

Mike und Danilo grinsten sich an.

Sarah trat aus der Tür und nahm den Brief entgegen. Sie zog ein Kärtchen daraus hervor, das sie laut las:

Willst du mit mir ins Kino gehen?
Felix

Überrascht sah sie den Postboten an. »Ist der Brief von dir?«

In seinem Kopf ratterte es. Wieso sollte er Sarah einen Brief geschrieben haben? Und warum stand

sein Name unter der Einladung? »Muss ein Zufall sein. Der Brief ist nicht von mir.«

Sarah machte ein nachdenkliches Gesicht. »Aber ich kenne keinen anderen Felix. Das ist ja mal eine komische Geschichte.«

»Ja, in der Tat, sehr merkwürdig«, stimmte Felix zu.

»Schade eigentlich, dass der Brief nicht von dir

ist«, sagte Sarah. »Ich wäre nämlich gern mit dir ins Kino gegangen.«

»Wirklich?«, fragte Felix.

»Wirklich«, sagte Sarah.

»Jetzt frag sie doch einfach«, zischte Mike in seinem Versteck.

»Na ja, dann vielleicht bis bald mal«, sagte Felix. Er drehte sich um, schulterte seine Posttasche und schwang sich auf sein Rad. Ein Lächeln zum Abschied brachte er noch zustande, dann war er weg. Sarah sah ihm einen Moment lang nach, kehrte wieder ins Haus zurück und schloss die Tür.

Mike und Danilo klatschten ab. »Das war 'ne klasse Aktion«, sagte Mike.

Die beiden Freunde kletterten aus ihrem Versteck hervor und klopften sich den Staub aus der Kleidung. Danilo bemerkte einen dicken, braunen Briefumschlag, der auf den Gehweg gefallen war.

»Mike! Sieh mal!«

»Au Backe«, sagte Mike erschrocken. »Den muss jemand verloren haben.«

Er wollte sich den Brief schnappen, als ein Lkw vorbeifuhr und den Umschlag ein paar Meter mit sich riss.

Mike rannte hinterher und nahm ihn an sich. Der Umschlag war aus festem Packpapier und etwa zwei Finger breit. Nirgends stand ein Absender, und die Adresse war so krakelig geschrieben, dass man sie kaum lesen konnte. Prüfend drehte Mike den Brief in seinen Händen. Zu spät bemerkte er, dass er an der Seite beschädigt war.

»Mike, pass auf!«, rief Danilo.

Der Inhalt des Briefes fiel aus dem Umschlag. Als die beiden Freunde sahen, was sich da über die Straße verteilte, blieb ihnen vor Staunen der Mund offen stehen.

Kapitel 2

Ein rätselhafter Brief

Lilafarbene Geldscheine quollen aus dem Umschlag hervor und wurden von einer Böe erfasst, die sie quer über die Straße trieb wie Laub im Wind. Mike fing einen davon ein. Er konnte sich nicht erinnern, jemals so einen Schein in der Hand gehalten zu haben. Als er die Summe sah, wurde er bleich.

»Danilo! Das sind 500-Euro-Scheine.«

Von seinem Vater hatte Danilo ein paar serbische Flüche gelernt. Jetzt war eine gute Gelegenheit, sie anzuwenden. Schimpfend stürmte er über die Straße und sammelte die Scheine ein. Mike half ihm, so gut er konnte. Ein Radfahrer brauste an ihnen vorüber und klingelte wütend. Schwer atmend setzten sich die beiden Freunde an die Bordsteinkante.

»Puh, war das knapp«, keuchte Mike. »Hoffentlich haben wir alle Scheine gefunden.«

Danilo zählte das Bündel, das er in den Händen

hielt, und musste schlucken. »Rate mal, wie viel das ist.«

Mike zuckte mit den Schultern. Er hatte noch nie größere Summen besessen. Wenn er mal etwas Taschengeld bekam, gab er es sofort wieder aus. »Dreitausend? Viertausend?«

»15 000 Euro!«, sagte Danilo atemlos.

Mike stieß einen Pfiff aus. »Mannomann, was man damit alles anstellen könnte. Überleg mal! Wir könnten die Kaufhäuser leer kaufen …«

»… uns coole Mountainbikes besorgen …«

»… oder ferngesteuerte Autos mit Benzinmotor!«

»… und dazu einen ferngesteuerten Hubschrauber.« Danilos Augen leuchteten. So was hatte er sich schon immer gewünscht.

»Ich könnte meinen Eltern einen richtigen Urlaub schenken. Vielleicht wären sie dann etwas weniger gestresst«, seufzte Mike.

So schön diese Träume auch waren, sie wussten, dass sie kein Recht hatten, das Geld zu behalten. Es gehörte ihnen nicht.

Mike sprang entschlossen auf. »Wir werden diesen Brief nun ausliefern und dem Empfänger in den Briefkasten werfen. Jetzt! Sofort!«

Danilo zögerte. Abwesend zupfte er an seinen Ärmeln herum. Das tat er immer, wenn er nachdenken musste. »Komisch ist das schon. Wer verschickt so viel Bargeld in einem Brief? Heutzutage macht man so was doch bei der Bank.«

Mike stöhnte. Seit Danilo beschlossen hatte, von Beruf Kriminalkommissar zu werden, witterte er immer und überall Verbrechen. »Du liest zu viele Detektivgeschichten. Komm schon, hilf mir lieber die Adresse zu entziffern.«

Die beiden Freunde beugten sich über den Umschlag und lasen:

»Keine Ahnung, wofür ›M.S.‹ steht. Aber den Amselweg kenne ich. Der ist gleich hier um die Ecke«, sagte Danilo.

Die beiden sprangen auf ihre Fahrräder und fuhren zum Amselweg Nummer 13. Unten im Haus gab es eine Bäckerei und daneben eine Pizzeria. Sie lasen die Klingelschilder neben dem Hauseingang. Die Initialen »M.S.« passten auf niemanden. Ratlos überlegten Mike und Danilo, was sie tun konnten. Danilo nahm die Adresse noch einmal in Augenschein.

»Hm, da ist ein Strich an der 13. Vielleicht soll das eine Eins sein. Dann könnte es Hausnummer 113 bedeuten. Was meinst du?«

»Probieren wir's«, schlug Mike vor.

Sie fuhren zur Hausnummer 113 und standen vor einem Betonblock mit zahllosen Mietwohnungen. Mike ließ seinen Finger über die Klingelschilder gleiten, bis er etwas gefunden hatte: »Martin Schneider. M.S. – das muss der richtige Empfänger sein.«

Eine harsche Stimme ließ die beiden zusammenzucken: »Ihr da! Seid ihr etwa Freunde von diesem Kerl?«

Als Mike und Danilo sich umdrehten, standen sie

einer finster dreinblickenden Frau gegenüber. Sie trug Lockenwickler im Haar und eine Schürze mit Blumenmuster. Mit ihren kleinen, stechenden Augen und ihrer spitzen Nase erinnerte sie Mike an einen Raubvogel.

»Ähm, wir müssen ihm nur einen Brief bringen«, stammelte er.

»Das lasst ihr mal schön bleiben. Erst gestern hat der Hausmeister den Briefkasten leeren lassen, weil er überfüllt war.«

Danilo riss die Augen auf. »Soll das heißen, da oben wohnt überhaupt niemand?«

Die Frau lachte. »Oh doch, und ob! Seltsame Burschen gehen da ein und aus. Wer von ihnen dieser Martin Schneider sein soll, weiß ich nicht.« Sie rückte ein wenig näher und senkte ihre Stimme zu einem Flüstern: »Wenn ihr mich fragt, gibt es überhaupt keinen Martin Schneider. Das ist ein Verbrechernest dort oben.«

Danilos Augen leuchteten. Das war ein Fall ganz nach seinem Geschmack! Er hatte gleich gespürt, dass hier etwas oberfaul war. »Haben Sie etwas Verdächtiges gesehen oder gehört?«

Die Frau kratzte sich an der Nase. »Ich bin hier

die Hausverwalterin. Ich höre alles. Aber warum sollte ich es dir verraten?«

»Weil mein Papa in dem Fall ermittelt und sich bestimmt erkenntlich zeigen würde, wenn ich ihm sage, dass eine charmante Dame wie Sie uns geholfen hat«, gab Danilo zurück.

Mike sah seinen Freund verwundert an. »Aber dein Papa ist Fliesenleger, kein Polizist«, flüsterte er.

»Das weiß ich auch«, zischte Danilo.

Seine kleine Flunkerei verfehlte ihre Wirkung nicht. Die Hausverwalterin lächelte geschmeichelt. »Na, wenn das so ist: Ich habe tatsächlich etwas gehört. Die Kerle haben sich in der Martinsburg verabredet. Das kam mir gleich seltsam vor, schließlich ist das ganze Gebäude seit Jahren einsturzgefährdet und darf nicht betreten werden.«

Mike und Danilo erschauderten. Die Martinsburg war vor vielen Jahrzehnten ein Hotel gewesen, bis ein Brand die oberen Stockwerke zerstört hatte. Seitdem stand das alte Gebäude leer und verfiel langsam. Selbst die mutigsten Kinder der Stadt machten einen Bogen darum. Es gab Gerüchte, dass es darin spukte. Mikes Nachbarsjunge Otto hatte Stein und Bein geschworen, dass er in einer Win-

ternacht Geister gesehen hatte, die ihm aus einem Fenster des baufälligen Hotels zugewinkt hatten. Otto redete viel, wenn der Tag lang war, doch Mike bekam jetzt noch eine Gänsehaut, wenn er an die Geschichte dachte.

Die Hausverwalterin kniff Danilo in die Wange und verabschiedete sich. »Dann grüß mal deinen Vater schön, Junge. Er darf sich gern bei mir melden, wenn er will. Ich muss jetzt weiterarbeiten.«

Als sie weg war, sah Mike in Danilos Augen und wusste, was sein Freund als Nächstes plante. Er schüttelte den Kopf.

»Oh nein! Das kannst du so was von vergessen.«

Aber Danilo war nicht mehr zu bremsen: »Mike, hast du überhaupt zugehört? Es gibt wahrscheinlich gar keinen Martin Schneider. Diese Wohnung ist ein Treffpunkt für Gangster. Und was immer die planen, es hat mit der Martinsburg zu tun. Wir müssen dort hin und rausfinden, was da vor sich geht! Oder hast du etwa Angst vor ein paar Gruselgeschichten?«

Mike musste sich schwer zusammenreißen. »Pff, ich hab keine Angst. Aber du hast doch gehört, was die Frau gesagt hat: Das Haus ist einsturzgefährdet …«

»… und damit das perfekte Schlupfloch für eine Verbrecherbande. Vielleicht haben sie dort Diebesgut versteckt. Oder Geiseln! Was glaubst du, warum jemand sonst so viel Bargeld per Post verschickt, noch dazu ohne Absender? Das könnte Lösegeld sein.«

Mike seufzte. Er kannte Danilo lange genug, um zu wissen, dass er sich von dieser Idee nicht mehr abbringen lassen würde. Und was für ein Freund wäre er, wenn er ihn jetzt allein ließ? »Na gut, von mir aus. Ich bin dabei.«

Danilo klopfte ihm auf die Schulter. Auch wenn er es nicht zugeben wollte: Bei dem Gedanken, allein in das alte Spukhaus zu gehen, wurde ihm ganz mulmig im Bauch. Er war froh, dass Mike mit an Bord war.

»Also los!«, sagte er.

Kapitel 3

Das Monster im Spukhaus

Der Zugang zur Martinsburg war durch einen Zaun gesichert, an dem rostige Warnschilder hingen: »Betreten polizeilich verboten!« – »Zuwiderhandlungen werden zur Anzeige gebracht!« – »Eltern haften für ihre Kinder!«

Danilo und Mike versteckten ihre Fahrräder und liefen langsam an dem Bretterzaun entlang. Irgendwo musste es ein Schlupfloch geben.

Danilo strich mit der Hand über die Bretter. Plötzlich gab eines nach. »Mike, hier!«, flüsterte er.

»Lass uns reingehen, bevor ich es mir anders überlege«, knurrte Mike.

Die Freunde vergewisserten sich, dass sie niemand beobachtete, und zwängten sich durch den schmalen Spalt. Auf leisen Sohlen schlichen sie auf das alte Hotel Martinsburg zu. Es lag eingewachsen zwischen hohem Gras und wild wuchernden Sträuchern. Auch nach Jahrzehnten des Verfalls war es imposant anzusehen: Vier Stockwerke mit hohen Fenstern, großen Balkonen und Ornamenten an der Fassade ließen die vergangene Pracht erahnen. In den oberen Etagen, wo vor vielen Jahrzehnten der Brand gewütet hatte, war das Mauerwerk rußgeschwärzt und brüchig.

Mit klopfenden Herzen schoben die beiden Freunde die mit Graffitis übersäte Eingangstür auf. Danilo blieb stehen. Hatte er eben ein Geräusch gehört? Er lauschte, doch abgesehen vom Zirpen der Grillen blieb es ruhig.

»Scheint niemand hier zu sein«, sagte er leise.

»Niemand bis auf die Geister«, murrte Mike.

Danilo warf ihm einen bösen Blick zu und betrat das Haus. Verfallene Möbel, Müll und Spinnweben empfingen sie.

Danilo entdeckte etwas auf dem Boden. »Sieh mal, Mike!«

Mike nickte. »Fußspuren im Staub. Mindestens eins, zwei, drei … vier unterschiedliche Paar Schuhe.«

»Männerschuhe, der Größe nach zu urteilen«, ergänzte Danilo. »Sie sind noch ganz frisch. Ich würde sagen, höchstens einen Tag alt. Hier waren also vor

Kurzem vier Männer. Fragt sich nur, was sie in einer baufälligen Ruine zu suchen hatten.« Schritt für Schritt folgte er den Spuren bis zu einem Treppenabgang. »Sie sind in den Keller gegangen.«

Mike wagte einen Blick nach unten. Die Treppe war moosüberwuchert und wurde weiter unten von der Finsternis verschluckt. Nichts und niemand würde ihn da runterbekommen!

»Wir sollten die Polizei rufen«, schlug er vor.

»Und was sagen wir denen? Dass wir ein paar

Fußspuren entdeckt haben? Das ist zu wenig. Wir brauchen handfeste Beweise. Und eine Taschenlampe«, gab Danilo zurück.

Damit konnte Mike helfen. Er hatte zum Geburtstag ein Smartphone geschenkt bekommen, dessen Blitz auch als Lampe benutzt werden konnte. Er schaltete sie ein und drückte sie seinem Freund in die Hand.

»Viel Spaß beim Detektivspielen«, sagte er.

Danilo machte große Augen. »Spinnst du? Ich gehe da doch nicht allein runter.«

»Wenn du unbedingt Sherlock Holmes spielen willst, bitte schön. Aber ich werde wegen so einem blöden Brief nicht meinen Hals riskieren.«

Danilo zog eine Grimasse. »Schon klar. Weil du die Hosen bis zum Rand voll hast. Du solltest mal dringend deine Windel wechseln, du Baby, die riecht nämlich schon.«

Mike knurrte missmutig. »Halt bloß den Rand!«

Doch Danilo grinste und sang leise vor sich hin: »Angsthase, Eiternase, Schisserkönig…«

Das konnte Mike nicht auf sich sitzen lassen. Er schnappte sich das Handy und ging voraus in die Dunkelheit. »Aber wenn das Haus jetzt einstürzt und wir dort unten verschüttet werden, dann bist du schuld!«, schimpfte er leise.

»Uns wird schon nichts passieren«, erwiderte Danilo und folgte seinem Freund. Seine Knie zitterten, als er seinen Fuß auf die erste Treppenstufe setzte.

Schritt für Schritt gingen sie in die Tiefe. Im Licht der Taschenlampe konnten sie Sandsteinwände erkennen. Dieser Keller musste schon sehr alt sein. Die Luft roch modrig und das Geräusch ihres Atems warf ein seltsames Echo von den Wänden zurück. Plötzlich spürte Mike eine Hand auf der Schulter. Er zuckte zusammen. Langsam blickte er hinter sich. Aber es war nur Danilo.

»Mannomann, hast du mir einen Schreck eingejagt«, flüsterte er.

Danilo deutete den langen Gang hinunter. »Mike, dort hinten. Da ist Licht!«

Mike wurde bleich. »Licht? Hier unten? Aber hier ist doch niemand.«

Danilo hatte recht. Am Ende des dunklen Korridors war ein schwaches grünes Leuchten zu sehen. Im Schein der Taschenlampe sahen sich die Freunde an. Keiner wollte vor dem anderen als Feigling dastehen. Also setzten sie einen Fuß vor den anderen und gingen auf das Licht zu.

Als sie den Raum erreichten, von dem das grüne Licht ausging, blieben sie überrascht stehen.

»Wahnsinn ... hast du so was schon gesehen?«, brachte Mike hervor.

Danilo schüttelte den Kopf.

Vor ihnen lag ein riesiger, alter Gewölbekeller. In Regalen an den Wänden stapelten sich Dutzende von Terrarien, die an Lampen und Maschinen angeschlossen waren. Dicke Stromkabel führten zu Heizungen und Wärmelampen, die für tropische Temperaturen in den Glaskäfigen sorgten. Danilo nahm die Terrarien in Augenschein. Manche waren kaum größer als ein Aktenordner. Andere so riesig wie eine ganze Badewanne. Fast alle waren hektisch aufgerissen worden; die Deckel aus schwarzem Plastik lagen quer über den Boden verteilt. Keine Spur von den Tieren, die einmal hier gewesen sein mussten.

»Die sind alle leer«, stellte Mike fest.

Danilo zog eine Schüssel aus einem Terrarium und untersuchte sie. »Die Futterreste hier sind noch ziemlich frisch.«

»Du meinst, bis vor Kurzem waren da Tiere drin?«

Danilo nickte. »Fragt sich nur, was für Tiere. Und warum die Terrarien so hektisch leer geräumt wurden. Sieht fast so aus, als ob jemand überstürzt fliehen musste…«

Ein lautes Krachen war aus der Dunkelheit zu hören. Mike und Danilo wirbelten herum. Wer oder was auch immer dieses Geräusch erzeugt hatte, war ihnen gewiss nicht freundlich gesinnt. Mike krallte sich an Danilos Arm. Danilo wusste, wovor sein Freund sich fürchtete.

»Gespenster gibt es nicht!«, beharrte er, ohne dabei allzu überzeugt zu klingen.

Mike wagte kaum zu atmen. »Und wenn es die Kerle sind, deren Fußspuren wir oben gesehen haben?«

Daran wollte Danilo lieber nicht denken.

Plötzlich fiel etwas aus einem Regal und landete scheppernd auf dem Boden. Im Licht der Taschenlampe war nichts zu sehen. Jetzt wurde es auch Danilo unheimlich.

»Du hast recht, wir sollten schnell verschwinden…«, brachte er hervor.

»Nein, warte.«

Erstaunt sah Danilo seinen Freund an. Eben noch

wollte er flüchten, und jetzt wurde er plötzlich mutig? Mike bedeutete ihm, still zu sein, und ging auf das Regal zu. Wieder schepperte es. Beinahe hätte Danilo laut aufgeschrien: Ein Schatten huschte über die Wand. Er hatte die Umrisse einer Kreatur mit Krallen und einem riesigen Schädel auf einem schlangenförmigen Leib.

»Mike... die haben hier unten ein Monster gezüchtet«, flüsterte Danilo. »Los, schnell raus hier, bevor es uns angreift!«

Zu seinem Erstaunen grinste Mike und steckte ohne Furcht seine Hand ins Regal. Er packte ein kleines, zappelndes Etwas und zog es hervor.

»Da hast du dein Monster«, rief er.

Staunend blickte Danilo auf ein kleines Babykrokodil in Mikes Hand. Von der Nase bis zur Schwanzspitze war es kaum länger als sein Unterarm. Als es sein Maul aufriss, entblößte es eine Reihe winziger Zähne. Mit riesigen bernsteinfarbenen Reptilienaugen blickte es die beiden Jungs neugierig an. Der Anblick war so niedlich, dass deren Angst verflog.

»Du bist also das Monster, dessen Schatten ich gesehen habe?«, fragte Danilo.

Das Babykrokodil klappte sein Maul auf, als wolle es »Ja« sagen.

»Was glaubst du, wie alt der Kleine ist?«, fragte Mike.

Danilo zuckte mit den Schultern. »Noch nicht sehr alt. Schlüpfen Krokodile nicht aus Eiern?«

»Glaube schon«, sagte Mike. Er machte sich eigentlich nichts aus Tieren. Nun berührte ausgerechnet ein Babykrokodil sein Herz. »Der arme Kleine ist hier unten ganz allein.«

»Wahrscheinlich wurde er vergessen«, vermutete Danilo.

Mike streichelte den braun geschuppten Rücken des kleinen Krokodils. Es schien die Berührung zu genießen, denn es schmiegte sich eng an Mikes Hand. »Ich nenne dich Tappsi«, beschloss er.

Danilo hob die Brauen. »Tappsi? Was Besseres ist dir nicht eingefallen?«

»Na ja, ich dachte, weil es so ungeschickt durch das Regal getappst ist. Du bist eben noch ganz klein, was, Tappsi?«

Das Babykrokodil hob seine Schnauze und sah Mike und Danilo fordernd an.

»Ich glaube, dein Tappsi hat Hunger«, sagte Danilo.

Mike wollte ihm das Babykrokodil auf die Hand legen. »Dann kümmere du dich darum!«

»Ich? Wieso denn ich?«

»Du bist doch der große Experte. Ich kann mit Tieren nichts anfangen und mit Krokodilen schon gar nicht. Jetzt ist Tappsi noch klein und niedlich, aber wenn er mal groß ist, wird er zu einem riesigen Monstrum, das Menschen zum Frühstück verspeist.«

Danilo hob abwehrend die Hände. »Du hast ihn gefunden, also passt du auch auf ihn auf. Tappsi mag dich, das siehst du doch. Oder willst du ihn lieber hierlassen?«

Nein, das würde Mike nie übers Herz bringen. Seufzend steckte er das Babykrokodil in die große Außentasche seiner Jacke. Dort war es dunkel und warm. »Friss mir bloß kein Loch in die Jacke, du Monsterchen!«

Das kleine Krokodil wollte lieber schlafen. Es rollte sich zusammen und schloss die Augen.

»Was frisst eigentlich so ein Babykrokodil? Milch? Eier mit Speck? Wurst? Gemüse?«

Auch Danilo war ratlos. Nachdenklich zupfte er an seinen Ärmeln herum. »Ich hab's!«, rief er. »Meine Mutter hat eine Bekannte aus Amerika, die arbeitet als Biologin hier an der Uni. Sie hat eine Tochter, die ihr immer hilft. Bestimmt kennt sie sich mit Tieren aus.«

»Nichts wie hin«, sagte Mike. Er war heilfroh, endlich aus diesem unheimlichen Keller raus zu können. Draußen schnappten die beiden sich ihre Fahrräder und hofften, die Martinsburg nicht so bald wieder betreten zu müssen.

Kapitel 4

Der unheimliche Professor Lenk

Mike und Danilo standen vor einem Hexenhaus, das sich inmitten eines wild wuchernden Gartens befand. Überall sahen sie Töpfe mit seltenen Pflanzen, Büschen und Kakteen.

»Scheint so eine Art Kräuterhexe zu sein, die Bekannte von deiner Mutter«, flüsterte Mike. »Wenn ihre Tochter auch eine Hexe ist, dann gute Nacht!«

Danilo zuckte mit den Schultern und drückte den Klingelknopf. Ein Mädchen mit langen Haaren öffnete die Tür. Ihre haselnussbraunen Augen waren hellwach und betrachteten die zwei Jungs misstrauisch.

»Wer seid ihr?«, fragte sie. Sie sprach mit amerikanischem Akzent.

Danilo und Mike waren so verdattert, dass es ihnen glatt die Sprache verschlug. Ungeduldig verschränkte das Mädchen seine Hände vor der Brust. »Na?«

»Äh … ich bin Mike und das ist Danilo«, stotterte Danilo. »Ich meine, genau andersrum. Er ist Mike. Das heißt, eigentlich heißt er Michael, aber kein Mensch nennt ihn so …«

Das Mädchen hob die Brauen. »Und was wollt ihr hier?«

Statt einer Antwort zog Mike den kleinen Tappsi aus seiner Jackentasche hervor und zeigte ihn dem Mädchen.

»Wir dachten, du kannst uns vielleicht helfen. Weißt du, was so ein kleiner Kerl frisst?«

Tappsi entkringelte sich aus seiner Schlafposition und sah das Mädchen mit seinen großen Augen an. Auf ihrem Gesicht machte sich ein entzücktes Lächeln breit. »Oh my god, isn't he cute …« Sie bemerkte, dass Mike und Danilo kein Wort verstanden. »Cute, das heißt niedlich auf Englisch. Ich bin übrigens Jo-Anne. Ihr könnt mich Jo nennen. Kommt doch rein!«

Bevor Mike und Danilo etwas erwidern konnten, hatte sie die beiden ins Haus geschoben. Während Jo die Jungs durch den Flur und ein großes Wohnzimmer lotste, sah Danilo sich verstohlen um. Im Haus war es genauso grün wie im Garten. In Regalen, auf

Schränken, ja sogar in von der Decke hängenden Töpfen wuchsen exotische Pflanzen. Auf der Treppe saß eine Katze, die die Besucher aus schmalen Augen ansah. In einem Käfig im Wohnzimmer hockten zwei Hasen. Jo ging in die Küche. Unter dem Tisch lag ein zotteliger Hund, der mit dem Schwanz wedelte. Jo kramte etwas aus dem vollgepackten Kühlschrank hervor und führte die beiden Freunde zu ihrem Zimmer. Danilo staunte. Es sah fast aus wie

in einem Forschungslabor. Wo er hinsah, waren Bücher, Mikroskope und Reagenzgläser.

»Leg den Kleinen auf meinen Schreibtisch«, bat Jo.

Vorsichtig ließ Mike das Babykrokodil auf den Schreibtisch laufen. »Er heißt übrigens Tappsi.«

Jo strahlte das kleine Krokodil an. »Hi, Tappsi. How are you? Are you hungry?«

Sie hatte ein kleines Stück frisches Fleisch aus dem Kühlschrank mitgebracht, das sie sorgsam in winzige Teile schnitt. Tappsi stürzte sich regelrecht darauf.

»Er darf nichts Gekochtes oder Gewürztes essen, das verträgt er nicht«, erklärte Jo, während sie das kleine Krokodil fütterte. »Nur rohes, frisches Fleisch. Am besten Lebendfutter.«

Mike schüttelte sich. »Lebendfutter? Du meinst Insekten und so 'nen Kram? Das ist ja total eklig.«

Jo musterte ihn kritisch. »Warum kaufst du dir ein Krokodil, wenn du es nicht mal füttern kannst?«

»Ich habe ihn nicht gekauft«, protestierte Mike. »Wir haben ihn in einem verlassenen Keller in der Martinsburg gefunden.«

»Dort war so eine Art geheime Zuchtstation.

Tappsi hatte sich zwischen jeder Menge leerer Terrarien versteckt. Da sind bestimmt illegale Dinge geschehen«, fügte Danilo hinzu.

Jo machte ein erstauntes Gesicht. »Im Keller der Martinsburg? Ihr wart da unten? Ihr seid ja ganz schön mutig.«

Mikes Brust schwoll ein wenig an. »Ach was, das war doch gar nichts.«

Danilo musste ein Grinsen unterdrücken und verpasste seinem Freund einen Schubser, den Jo nicht bemerkte.

»Ihr könnt den kleinen Tappsi nicht behalten«, sagte sie schließlich. »So ein Babykrokodil braucht viel Pflege.«

»Na gut, wir können ihn ja bei dir lassen«, schlug Danilo vor.

Jo schüttelte den Kopf. »Wir bringen ihn zu einem Experten. Kennt ihr Professor Lenk?«

»Meinst du den berühmten Tierforscher, der seine eigene Fernsehsendung hat?« Mike riss die Augen auf.

»Genau den. Er wohnt nicht weit von hier. Meine Mutter hat mal für ihn gearbeitet. Er kennt mich. Er wird uns bestimmt helfen.«

Da keiner der Jungs eine bessere Idee hatte,

stimmten sie zu. Tappsi bekam eine kleine Schachtel, die Jo sorgfältig mit Tüchern auspolsterte, sodass er es warm und gemütlich hatte.

Dann sprangen die drei Kinder auf ihre Räder. Unter Jos Führung fuhren sie an den Rand der Stadt, bis sie schließlich vor einem riesigen Gittertor stehen blieben. Professor Lenk wohnte versteckt hinter hohen Mauern in einer großen Villa. Danilo sah, dass an der Mauer Überwachungskameras angebracht waren und bekam ein seltsames Gefühl.

Jo drückte die Klingel. Eine barsche Stimme schallte aus dem Lautsprecher der Gegensprechanlage: »Kinder haben hier nichts verloren. Was wollt ihr?«

»Ich bin Jo-Anne Lake und das sind Mike und Danilo. Wir möchten mit Professor Lenk sprechen!«

»Der Professor hat keine Zeit«, bellte die Stimme.

Jo blieb unbeeindruckt. »Wenn er sieht, was wir mitgebracht haben, wird er sich bestimmt Zeit nehmen.« Sie hielt die Schachtel mit Tappsi in die Kameralinse, die neben der Klingel zu erkennen war.

Es dauerte eine Sekunde, da öffnete sich das riesige Tor vor den Kindern. Knirschend und krachend fuhr es zur Seite.

»Kommt mit«, rief Jo.

Sie ließen ihre Fahrräder hinter dem Tor stehen und gingen die lange Auffahrt hinauf. Mike und Danilo kamen aus dem Staunen gar nicht mehr heraus. Wo sie hinsahen, waren riesige Gehege mit Tieren aus aller Welt: Löwen, Elefanten, Giraffen und eine Affenfamilie, die laut kreischend auf einem kahlen Baum herumsprang.

»Der Wahnsinn!«, rief Danilo. »Professor Lenk hat seinen eigenen Privatzoo.«

»Der muss stinkreich sein, wenn er sich so was leisten kann«, murmelte Mike.

»Er ist einer der bekanntesten Tierforscher der Welt und hat viele Bücher geschrieben«, erklärte Jo.

Professor Lenks Haus war ein eindrucksvoller Bau aus Glas und Stahl. Ein unfreundlicher Glatzkopf mit weißem Hemd und schwarzer Hose öffnete die Tür. Er schien so etwas wie ein Diener zu sein. Streng musterte er die drei Kinder. »Zieht eure Schuhe aus und kommt mit. Und fasst ja nichts an«, sagte er. Dann brachte er sie ins Wohnzimmer.

Professor Lenk erwartete sie bereits. Er hatte wache Augen und eine beeindruckende Körpergröße. Mike war der größte Junge in seiner Klasse, doch der Professor überragte ihn um mindestens zwei Köpfe. Er wirkte wie ein Mann, der es gewohnt war, Befehle zu erteilen. Auf seinen Lippen lag ein dünnes Lächeln.

»Willkommen, ihr drei. Jo-Anne, ich habe dich lange nicht gesehen. Groß bist du geworden! Darf ich euch etwas zu trinken bringen lassen?«

»Eine Limonade bitte«, sagte Mike und grinste

den Diener an. »Mit Zitronenscheibe und Eis, wenn's geht.«

Professor Lenk nickte seinem Diener zu, der Mike daraufhin böse anfunkelte und in der Küche verschwand.

»Was kann ich für euch tun?«, fragte der Professor.

Jo gab ihm die Schachtel mit dem Babykrokodil.

»Sieh mal an! Ein Siam-Krokodil, etwa zwei Wochen alt. Siam-Krokodile sind seltene Tiere, die vor allem in Vietnam und Thailand leben. Sie stehen auf der Roten Liste des WWF. Wisst ihr, was das bedeutet?«

»Dass sie vom Aussterben bedroht sind«, sagte Jo.

Professor Lenk nickte. »So ist es. Die Ausfuhr und Zucht solcher Tiere wird streng überwacht. Sie dürfen nicht einfach aus ihrer Heimat in ein anderes Land gebracht oder gar verkauft werden. Das macht sie in den Augen mancher Tierliebhaber leider besonders begehrenswert.«

»Reden wir hier von illegalem Tierschmuggel?«, fragte Danilo.

Professor Lenk nickte.

»Tierschmuggel?« Mike verstand kein Wort. »Warum schmuggelt jemand Tiere?«

»Das ist ein mieses Geschäft, bei dem seltene Tiere aus der ganzen Welt an reiche und skrupellose Tierhalter verkauft werden. Die bezahlen jeden Preis, und es ist ihnen total egal, dass nur die wenigsten Tiere die lange Reise überleben«, erklärte Jo.

Mike wurde ganz blass, als er sich vorstellte, dass Tappsi in einen engen Koffer gesperrt auf Weltreise ging.

Professor Lenk nahm das Babykrokodil in Augenschein. »Der Kleine hier ist zum Glück kerngesund. Er dürfte auf dem Schwarzmarkt ein Vermögen wert sein. Was mich zu der Frage bringt, wie er in eure Hände gelangen konnte?«

Er musterte die drei Kinder mit strenger Miene. Mike, Danilo und Jo sahen sich erschrocken an: Verdächtigte der Tierforscher sie etwa?

»Wir haben ihn in einem Keller in der Martinsburg gefunden«, sagte Danilo.

Professor Lenk schüttelte unwirsch den Kopf. »Da musst du dir schon etwas Besseres einfallen lassen, Junge. Raus mit der Sprache! Wo habt ihr das Tier her? Hat es euch jemand geschenkt? Oder habt ihr es selbst gekauft?«

Der glatzköpfige Diener kehrte mit einem Krug

Limonade und vier Gläsern zurück. Mike, Danilo und Jo war der Durst vergangen. Sie wollten am liebsten schnell wieder verschwinden.

»Die beiden haben ihn wirklich gefunden, Professor«, sagte Jo.

Professor Lenk wirkte zunehmend verärgert. »Ein Siam-Krokodil findet man nicht einfach. Ihr wollt mir die Wahrheit also nicht sagen? Na gut. Vielleicht seid ihr gesprächiger, wenn ich die Polizei hole.«

Mike erschrak. Das wollte er auf keinen Fall. Was, wenn die Polizei ihnen auch nicht glaubte?

Danilo rang nach Luft. »Wir wollten nur helfen!«

Der Professor sah ihn eine Weile schweigend an. »Ich würde dir gern glauben, Junge. Aber du wärst nicht der Erste, der sich ein exotisches Tier besorgt und dann nicht weiß, wie er damit umgehen soll. Manche setzen so ein Tier in freier Natur aus oder spülen es die Toilette runter. Ihr habt euch immerhin entschlossen, meinen Rat einzuholen.«

Mike hatte genug gehört. Demonstrativ blickte er auf seine Uhr. »Es ist schon spät. Wir müssen los.«

Jo und Danilo nickten eifrig. »Ja, stimmt. Unsere Eltern warten bestimmt mit dem Essen auf uns.«

Professor Lenk fand sein Lächeln wieder, doch

dieses Mal wirkte es kalt und aufgesetzt. Fordernd streckte er seine Hand aus. »Ich würde vorschlagen, dass ihr das Krokodil hierlasst. Meine Tierpfleger werden sich darum kümmern. Ihr könnt nach Hause gehen und wir vergessen diese ganze unerfreuliche Geschichte.«

Bei dem Gedanken, Tappsi in den Händen dieses merkwürdigen Mannes zu lassen, wurde Mike unruhig. »Das geht nicht«, schoss er hervor.

Streng hob der Professor die Brauen. »Und warum nicht?«

»Weil ...« Fieberhaft suchte Mike nach Worten und stammelte. »Weil das ... ähm ...«

Jo kam ihm zu Hilfe: »Weil meine Mutter das Krokodilbaby mit an die Universität nehmen wollte. Zu weiteren Untersuchungen.«

Professor Lenk schwieg. Für einen Augenblick fürchteten die Kinder, er würde die Polizei rufen und ihnen Tappsi ganz einfach wegnehmen. Zu ihrer Verwunderung geschah nichts dergleichen. Er goss Limonade in die Gläser. »Trinkt doch etwas. Dann können wir uns noch ein wenig unterhalten.«

Mike, Danilo und Jo tauschten einen Blick: *Bloß weg hier!*

»Nein danke«, sagte Danilo und ging langsam rückwärts Richtung Ausgang. »Wir müssen jetzt wirklich nach Hause.«

»Auf Wiedersehen, Professor«, sagte Jo.

Der Tierforscher blickte ihnen mit versteinerter Miene nach. Sein Diener stand neben ihm. Es kostete Mike seine ganze Willenskraft, nicht loszurennen.

Kapitel 5

Auf der Flucht

So schnell sie konnten, liefen Mike, Danilo und Jo zu ihren Fahrrädern und verließen das Anwesen. Erst als das riesige Gittertor hinter ihnen zufiel, wagte Mike zu sprechen.

»Mannomann, ich dachte schon, der ruft wirklich die Polizei.«

Jo wirkte ratlos. »Ich verstehe das nicht. Ich kenne den Professor schon lange. So wütend habe ich ihn noch nie erlebt.«

Danilo schüttelte den Kopf. »Irgendwas stimmt hier doch nicht.«

»So oder so, wir müssen Tappsi in Sicherheit bringen. Dieser Professor ist mir unheimlich. Bei dem werde ich ihn garantiert nicht lassen«, sagte Mike.

»Wir könnten Tappsi beim Zoo abliefern«, schlug Jo vor. »Dort gibt es Tierpfleger, die sich mit Krokodilen auskennen.«

Die beiden Jungs nickten und die Sache war beschlossen.

Sie fuhren über die Landstraße Richtung Stadt. Viel Zeit blieb ihnen nicht; es war merklich dunkler geworden und ihre Eltern würden wirklich bald mit dem Abendessen auf sie warten. Mike trat kräftig in die Pedale, als er das Geräusch eines Motors hörte. Ein Wagen mit verdunkelten Scheiben fuhr hinter ihnen her und überholte nicht. Zuerst glaubten die Kinder an einen Zufall. Dann wurde ihnen klar, dass sie verfolgt wurden.

»Was will der denn?«, fragte Danilo nervös.

Mike gab dem Wagen ein Zeichen. »Fahren Sie vorbei! Na los, überholen Sie schon!«

Der Fahrer des Wagens überholte, blieb aber gleich darauf quer auf der Straße stehen und versperrte ihnen den Weg. Mit klopfenden Herzen hielten Mike, Danilo und Jo an.

»Ich habe da ein ganz mieses Gefühl, Freunde«, flüsterte Danilo.

Zwei Männer stiegen aus dem Wagen. Es waren seltsame Burschen mit Armeejacken und schwarzen Stiefeln. Der größere von beiden hatte kurze, schwarze Haare und verbarg seine Augen hinter einer Sonnenbrille. Er kaute auf einem Kaugummi herum. Sein Begleiter war ein Kraftpaket mit Armen wie Baumstämme, die er drohend vor der Brust verschränkte.

»Hier ist eure Reise zu Ende, Kinder«, sagte der Mann mit der Sonnenbrille. »Wir beobachten euch schon eine ganze Weile. Was habt ihr bei dem Professor zu suchen gehabt? Worüber habt ihr geredet?«

»Auch wenn Sie das nichts angeht: Meine Mutter arbeitet mit Professor Lenk zusammen. Wir haben ihm ein paar Akten vorbeigebracht«, log Jo.

Der Mann mit der Sonnenbrille spuckte seinen Kaugummi ins Gras. »Wir wissen, dass ihr in der Martinsburg wart. Ihr habt etwas gestohlen, das uns gehört. Gebt es uns, und zwar ohne Mätzchen zu machen.«

Langsam wurde Jo wütend. Sie fegte sich ihr braunes Haar aus der Stirn und stemmte die Hände in die Hüften. »Anything else?«

Die Männer grinsten. »Das wirst du schon sehen, Kleine.«

»Ich bin nicht Ihre Kleine, dass das klar ist«, rief Jo.

Mike machte eine beschwichtigende Geste. »Schon

gut. Wir wollen keinen Ärger, okay?« An Danilo und Jo gewandt sagte er: »Besser, wir tun, was die beiden sagen.«

Danilo glaubte, er hätte sich verhört. »Mike! Du willst diesen Kerlen wirklich Tappsi überlassen?«

Mike machte ein trauriges Gesicht. »Was bleibt uns schon übrig? Die sind viel schlauer und stärker als wir.«

Die beiden Ganoven tauschten ein Grinsen. »Hört auf den Knirps!«, rief der Mann mit den dicken Armen.

Danilo und Jo sahen fassungslos mit an, wie Mike den Ganoven die Schachtel übergab.

»Mach's gut, Tappsi«, sagte er traurig. Dann stieg er auf sein Rad und fuhr weiter. Danilo und Jo folgten ihm,

ohne recht zu begreifen, was ihr Freund gerade getan hatte. Die Ganoven traten zur Seite und ließen sie vorbeifahren.

Als sie außer Hörweite waren, ließ Danilo seiner Enttäuschung freien Lauf: »Mensch, Mike! Warum hast du das gemacht? Jetzt haben wir nichts mehr in der Hand, um diesen Kerlen das Handwerk zu legen.«

»Sei still und fahr schneller«, keuchte Mike.

Jo verstand gar nichts mehr. »Was ist denn los?«

Statt einer Antwort öffnete Mike seine Jackentasche, aus der Tappsi seine winzige Schnauze hervorstreckte. Mike hatte den Gaunern nur eine leere Schachtel übergeben!

»Tappsi!«, rief Jo begeistert.

Mike grinste. »Ich hab ihn aus der Schachtel geholt, während du mit den beiden diskutiert hast. So schlau sind die zwei Blödmänner dann doch nicht.«

Manchmal war Mike einfach genial! Danilo war stolz auf seinen besten Freund.

Die Kinder hörten die beiden Ganoven laut fluchen. Sie hatten offensichtlich begriffen, dass sie hereingelegt worden waren. Der Motor des Wagens heulte auf. Sie nahmen die Verfolgung auf.

»Schnell weg hier!«, schrie Danilo.

Das ließen sich Mike und Jo nicht zweimal sagen. So schnell sie konnten, traten sie in die Pedale. Schon konnten sie den Wagen hinter sich sehen.

»Hier entlang!«

Mike legte eine Vollbremsung hin und bog mit einem halsbrecherischen Manöver in einen Feldweg ein, der Richtung Stadt führte. Immer wieder schauten die drei sich um. Von hinten näherte sich eine Staubwolke. Der Wagen holte rasch auf.

»Wir sind zu langsam«, brüllte Danilo. »Die haben uns gleich eingeholt!«

»Folgt mir!«, rief Jo.

Sie bogen in einen schmalen Waldweg ein und gelangten nach wenigen Minuten in einen Außenbezirk der Stadt. Jo hielt auf eine verlassene Fabrikhalle zu. Das Tor war aufgebrochen worden und hing schräg in den Angeln. Es ließ einen Spalt offen, der gerade breit genug war, dass sie mit ihren Rädern hindurchfahren konnten. Kaum waren sie drinnen, ließen sie die Räder fallen und gingen unter einem Fenster in Deckung. Der Wagen bremste vor dem Fabriktor. Die beiden Ganoven stiegen aus und liefen fluchend und schimpfend auf dem Vorplatz umher.

»Diese kleinen Mistratten!«, rief der eine.

»Warum schaust du Idiot auch nicht in die Schachtel?«, murrte der andere.

Mike, Danilo und Jo lugten vorsichtig aus ihrem Versteck. Ihre Herzen klopften so laut, dass sie fürchteten, sie könnten sie verraten. Zum Glück bemerkten die beiden Ganoven nichts. Sie sahen sich wütend um.

»Sie sind da lang gefahren!«, sagte der Mann mit den dicken Armen und zeigte nach links.

»Du verläufst dich doch in deinem eigenen Wohnzimmer, du Trottel. Ich sage, sie sind da lang gefahren. Richtung Innenstadt!«, sagte der Mann mit der Sonnenbrille und wies nach rechts.

Sein Kumpan knurrte gefährlich, stieg aber in den Wagen. »Von mir aus. Fahr los!«

Sie hatten die Türen geschlossen und den Motor gestartet, als Jo ihr Fahrrad schnappte. Mike und Danilo sahen sie fragend an.

»Wir folgen ihnen!«, zischte Jo. »Das ist unsere Gelegenheit, herauszufinden, was hier läuft.«

Mike bewunderte Jo. Sie war das mutigste Mädchen, das er kannte.

Danilo verpasste ihm einen Klaps auf die Schulter.

»Jetzt schau sie nicht so an. Dir fallen ja gleich die Augen raus.«

Mike wurde knallrot. »Los, komm schon, bevor die beiden uns davonfahren.«

Kapitel 6

Mikes neues Haustier

Mike, Danilo und Jo folgten dem Wagen mit einigem Abstand. Auf keinen Fall durften die Ganoven sie entdecken. Doch das war schwieriger als gedacht. Immer wieder hielten die Männer an und streckten suchend ihre Köpfe aus dem Fenster. Dann sprangen die Kinder von ihren Rädern und versteckten sich hinter einer Hausecke oder einem Müllwagen. Irgendwann hatten die Männer genug und ließen die Scheiben hoch.

»Die geben auf! Die suchen uns nicht mehr«, rief Mike.

Jo sprang auf ihr Fahrrad. »Jetzt – wie sagt man hier? – drehen wir das Messer um.«

»Den Spieß«, korrigierte Mike.

Jo nickte. »Wir verfolgen sie.«

»Das schaffen wir doch nie. Die sind viel zu schnell. Die hängen uns ab«, sagte Danilo.

Mike klopfte sich auf die Brust. »Niemand kennt diese Stadt so gut wie ich! Die entkommen uns nicht.«

Mike hatte nicht gelogen. Der Wagen mochte schneller sein als drei Kinder auf Fahrrädern, dafür kannte er Schleichwege, mit denen sie lange Straßen und Häuserblöcke abkürzen konnten. Der Wagen war gezwungen, an jeder roten Ampel zu halten. Dort holten die Kinder ihn immer wieder ein. Kreuz und quer folgten sie den Ganoven durch das Industriegebiet, bis sie auf einem Parkplatz vor einem Betonklotz stehen blieben. Die Männer stiegen aus. Der Fahrer zündete sich eine Zigarette an und sah sich misstrauisch um. Als würde er ahnen, dass er beobachtet wurde. Gerade noch rechtzeitig gelang

es Mike, Danilo und Jo hinter einem Busch in Deckung zu gehen.

»Hat er uns gesehen?«, fragte Jo.

Danilo streckte seinen Kopf gerade so weit hervor, dass er die beiden Männer beobachten konnte. »Nein. Er geht mit dem anderen Typen in das graue Gebäude. Scheint eine Art Supermarkt zu sein.«

»Und was jetzt?«

»Wir warten«, beschloss Danilo.

Jo schenkte Mike ein anerkennendes Lächeln. »Ich dachte, du hast nur eine große Klappe. Aber du kennst dich wirklich in der Stadt aus!«

Mike platzte vor Stolz, gab sich aber ganz locker. »Ach, das war doch gar nichts.«

Danilo stöhnte und verdrehte die Augen. In diesem Augenblick kehrten die beiden Gangster aus dem grauen Gebäude zurück, schwer bepackt mit mehreren Plastiktüten, die sie im Kofferraum des Wagens verstauten.

»Was ist das für Zeug, das die da einladen?«, fragte Mike.

»Finden wir's raus«, schlug Jo vor und wollte wieder auf ihr Fahrrad springen.

»Warte«, hielt Danilo sie zurück.

Um ein Haar hätten die Männer sie gesehen. Sie hatten die Fenster wieder geöffnet und behielten die Umgebung im Blick.

»Die scheinen was bemerkt zu haben«, flüsterte Mike.

Danilo nickte. »Mike hat recht. Besser, wir verfolgen sie nicht weiter. Zu gefährlich.«

Jo wirkte enttäuscht, gab aber klein bei. »Na gut. Wir sollten herausfinden, was die beiden dort wollten.«

»Das muss warten«, sagte Mike. »Morgen ist Schule und meine Mutter macht bestimmt Stress, wenn ich zu spät nach Hause komme.«

Danilo sah auf die Uhr und erschrak. Sie hatten die Zeit völlig vergessen. Es war wirklich spät geworden.

»Was haltet ihr davon, wenn wir uns gleich morgen nach der Schule treffen?«, schlug er vor.

»Eigentlich muss ich Mathe lernen, da stehe ich auf einer wackeligen Vier. Das sieht gar nicht gut aus«, sagte Mike düster, um gleich darauf mit einem Grinsen hinzuzufügen: »Ach, was soll's. Schließlich sind wir die Krokodilbande in geheimer Mission.«

Jo lachte. »I like that!«

»Dann ist alles geritzt. Bis morgen ...«

Danilo wollte sich verabschieden, als Mike ihn packte: »Moment mal, und wer passt auf Tappsi auf?«

»Ich kann nicht, ich hab morgen Prüfung in Bio«, sagte Danilo.

»Ich kann ihn auch nicht nehmen, ich muss meiner Mama helfen«, sagte Jo.

Mike ließ die Schultern hängen. »Na toll. Und was soll ich tagsüber mit ihm machen? Wenn meine Mutter beim Aufräumen ein Babykrokodil in meinem Zimmer findet, rastet sie komplett aus.«

»Nimm ihn doch mit«, sagte Danilo leichthin.

»Was? In die Schule?«

Danilo und Jo mussten lachen, als sie Mikes verdattertes Gesicht sahen. Jo legte ihm aufmunternd die Hand auf die Schulter. »Du machst das schon, Super-Mike.«

Jo und Danilo hatten denselben Heimweg und verabschiedeten sich gemeinsam. Mike musste alleine fahren. Als er nach Hause kam, hielt er Tappsi sorgsam in seiner Jacke versteckt. Seine Mutter gab ihm zur Begrüßung einen ihrer feuchten Küsse, die er nicht leiden konnte.

»Du kommst aber ganz schön spät. Wir haben dir was zu essen übrig gelassen. Steht auf dem Herd. Du musst es dir vielleicht noch mal warm machen.«

»Danke«, murmelte Mike und war froh, dass das erwartete Donnerwetter ausgeblieben war. Tappsi zappelte ungeduldig in seiner Jackentasche. Er hielt seine Hand darüber und hoffte, dass seine Mutter nichts bemerkte. Er lud sich Nudeln mit Soße auf einen Teller und ging schnell hinauf in sein Zimmer. Sorgsam schloss er die Tür hinter sich ab, dann ließ er Tappsi aus der Tasche und setzte ihn auf seinen Schreibtisch.

»Ich habe vielleicht einen Bärenhunger.«

Tappsi beobachtete ihn, wie er Nudeln in sich hineinschaufelte. Mike spielte kurz mit dem Gedanken, ihm ein Stück abzugeben, bis ihm Jos Worte wieder einfielen: Nichts Gekochtes für Babykrokodile.

»Keine Sorge, morgen finden wir ein schönes Plätzchen für dich«, sagte er mit vollem Mund. »Wir passen auf, dass du diesen Gangstern nicht in die Hände fällst. Versprochen!«

Das Babykrokodil legte seinen Kopf schräg und schaute ihn an, als hätte es ihn verstanden. Der

Kleine war Mike so sehr ans Herz gewachsen, dass er ihn am liebsten mit ins Bett genommen hätte. Seine Vernunft entschied, dass es besser war, für Tappsi einen eigenen Schlafplatz zu finden. Er leerte eine Schublade, polsterte sie mit einem Handtuch aus und stellte ein Schälchen Wasser dazu, falls Tappsi Durst hatte.

»Gute Nacht, Kleiner«, sagte er leise und schob die Schublade bis auf einen schmalen Spalt zu.

Morgen würde er das Babykrokodil in die Schule mitnehmen müssen. Mike hatte keine Ahnung, wie das gehen sollte. Zum Glück war er viel zu müde, um sich darüber Gedanken zu machen. Er schaffte es gerade noch, sich im Bad die Zähne zu putzen, bevor er ins Bett fiel und einschlief.

Kapitel 7

Ein Krokodil in der Schule

Herr Kunze fuhr mit seinem Finger über die Namensliste. Von oben nach unten und von unten nach oben. Die Spannung war unerträglich. Einer in der Klasse würde an die Tafel gerufen werden, und Mike betete, dass nicht er es war. Erstens hatte er ziemlich schlecht geschlafen, weil er die ganze Nacht von finsteren Tierschmugglern geträumt hatte. Und zweitens hatte er Tappsi in seinem Rucksack bei sich, versteckt in einer kleinen Schachtel, die nur von einem alten Gummiband zusammengehalten wurde. Er hatte heute Morgen alles hektisch zusammengesucht und wäre um ein Haar doch noch zu spät gekommen.

Herr Kunze konnte sich noch immer nicht entscheiden, wen er abfragen wollte. Sein Schnauzbart zuckte hin und her. »Hm … ah, ja. Mike, du warst dieses Jahr noch gar nicht an der Reihe.«

Mike deutete erschrocken auf sich.

Herr Kunze lächelte und nickte. »Mal sehen, was du uns über Geometrie erzählen kannst. Komm doch bitte vor an die Tafel.«

Als Mike von seinem Stuhl aufstand, fühlte er sich, als hätte er Gewichte an den Füßen. Er hatte weder seine Hausaufgaben gemacht noch gelernt.

Herr Kunze setzte sich auf sein Pult und sah Mike erwartungsvoll an. »Also dann, Mike. Zeichne uns mal ein rechtwinkliges Dreieck an die Tafel.«

Mike hatte nicht die leiseste Ahnung, was es mit dem »rechtwinklig« auf sich hatte. Er stand an der Tafel und spürte, wie ihm das Blut ins Gesicht schoss. Jeder in der Klasse wusste, dass er sich keine weitere Sechs in Mathe leisten konnte. Fabian, der eine Reihe hinter Mike saß, grinste schadenfroh und schnitt ihm Grimassen: »Versager!«, flüsterte er.

Mike kochte innerlich. Fabian war der boshafteste Junge der Schule und hatte Freude daran, wenn andere schlechte Noten bekamen.

Herr Kunze nickte Mike aufmunternd zu. »Kein Grund, nervös zu sein. Ich weiß, du kannst das.«

»Ich ...« Mike musste sich räuspern. Sein Hals war staubtrocken. »Also, ähm, ein rechtwinkliges Dreieck geht ...« Verzweifelt forschte er in seinen Erinnerungen. Da war nichts. Absolut nichts.

Fabian lachte und machte weiter Faxen. Für ihn war das alles ein großer Spaß.

Mike ließ den Kopf hängen und wollte sich gerade in sein Schicksal fügen, als plötzlich ein Mädchen aufschrie:

»Ein Krokodil! Da ist ein Krokodil!«

Herr Kunze rückte seine Brille zurecht und erhob sich. »Barbara, solche Scherze mag ich gar nicht.«

»Aber es ist aus Mikes Tasche gekrochen. Jetzt läuft es über den Boden.«

Mike wurde bleich vor Schreck. Er streckte seinen Kopf, um Tappsi zu sehen. Im selben Augenblick waren alle anderen Schüler auf den Beinen und stürmten zu seinem Platz. Verärgert schob sich Herr Kunze durch die Menge.

»Lasst mich bitte durch!«

Lehrer und Schüler blickten suchend über den Boden. Mike schickte ein stummes Gebet zum Himmel, dass sie Tappsi nicht erwischten. Wenn Herr Kunze das kleine Krokodil in die Hände bekam, war eine Sechs in Mathe sein geringstes Problem. Zum Glück blieb Tappsi versteckt. Herr Kunze hatte genug von dem Trubel und klatschte in die Hände.

»So, die Vorstellung ist zu Ende. Hier gibt's kein Krokodil. Setzt euch wieder hin und beruhigt euch.«

Alle Kinder gingen zurück auf ihre Plätze. Auch Mike. Die Blamage an der Tafel blieb ihm erspart. Die Stunde ging mit normalem Unterricht weiter. Tappsi hatte ihn vor einer Sechs bewahrt. Aber wo war er jetzt? Mike konnte sich kaum auf seinem Stuhl halten. Als die Stunde zu Ende war und alle das Zimmer verlassen hatten, suchte er unter allen Stühlen und Tischen.

»Wo bist du, Tappsi?«, flüsterte er verzweifelt.

Im Klassenzimmer war er nicht. Konnte er unter der Tür durchgekrochen sein? Mikes Puls beschleunigte sich bei dem Gedanken. Wenn Tappsi es in die Aula der Schule geschafft hatte, konnte er überall sein. Er musste den kleinen Ausreißer wiederfinden. Gebückt ging er an den Wänden entlang, durchquerte mit wachsamen Augen die Aula und lief durch die geöffnete Tür in den Pausenhof. Dort wurde er unter einer Bank schließlich fündig: Tappsi hatte sich in eine Nische ganz nah an der Hauswand verkrochen und hielt die Augen geschlossen. Mike strahlte übers ganze Gesicht.

»Da bist du ja!«

Er ging in die Hocke, um das kleine Krokodil einzufangen.

»Na, du Versager?«

Fabian und sein Kumpel Toni standen an die Wand gelehnt und beobachteten ihn.

»Lasst mich in Ruhe«, murrte Mike.

Fabian dachte nicht daran. »Was suchst du denn da?«

»Geht dich gar nichts an.«

Fabian schubste ihn zur Seite. »Lass mich mal.«

Mike riss die Augen auf. »Fabian, Vorsicht!«

Doch Fabian ließ sich nicht stoppen. Er streckte seine Hand unter die Bank und tastete den Boden ab, bis er plötzlich laut aufschrie.

»Autsch! Da hat mich was gebissen!«

Er zog die Hand hervor und wurde bleich: Daran hing ein kleines Krokodil.

»D-d-das ist ein Krokodil.«

»Du merkst auch alles, du Schlauberger. Ich habe dir doch gesagt, sei vorsichtig. Warte, ich helfe dir«, sagte Mike.

Als ein paar Kinder bemerkten, was los war, riefen sie wild durcheinander. Wenige Augenblicke später waren sie von Schülern der ganzen Schule umringt. Einigen blieb vor Staunen der Mund offen stehen. Andere kicherten, als sie sahen, wie Mike das kleine Krokodil vorsichtig von Fabians Hand löste.

»Das ist ein Krokodil!«

»Wo hast du das her?«

»Ich will es auch mal halten!«

»Zeig doch mal.«

Behutsam ließ Mike Tappsi auf seinen Arm krabbeln. Zum Glück waren keine Lehrer in der Nähe, die ihn sehen konnten. »Tappsi gehört zu mir. Ich habe ihn gestern in der Martinsburg gefunden. Wir sind nämlich einer Bande von Tierschmugglern auf der Spur.«

Erstaunt blickten ihn alle an. Dann redeten sie wild durcheinander.

»Du warst in der Martinsburg?«

»Das ist dein Krokodil?«

»Das ist ja total cool…«

Die Zwillinge Iris und Imelda flüsterten entzückt: »Das ist ja so was von süß.«

Fabian dagegen kochte vor Wut. »Süß? Das blöde Vieh hat mich schwer verletzt! Bestimmt bekomme ich jetzt Tollwut oder so was.«

»Bestimmt nicht. Deine Hand blutet ja noch nicht mal«, sagte Mike. Die Jungs zogen eine Grimasse, die Mädchen kicherten. Niemand nahm Fabian ernst. Geschah ihm nur recht, dachte Mike. Er ließ Tappsi in seiner Tasche verschwinden und rannte so schnell er konnte aus der Schule.

Danilo und Jo warteten bereits auf ihn. Die beiden hatten seit einer Stunde frei.

»Mike, da bist du ja endlich! Sieh mal, das ist heute Morgen erschienen.«

Jo drückte ihm eine Zeitung in die Hand. Sie hatten eine Schlagzeile rot eingekreist:

Verbrecherischen Tierschmugglern
gelingt die Flucht

Atemlos überflog Mike den Artikel. Seit Monaten ermittelte die Kriminalpolizei gegen einen Ring von gewissenlosen Kriminellen, die vom Aussterben bedrohte Reptilien an reiche Leute verkauften.

»Die Polizei hatte bereits eine heiße Spur, als die Verdächtigen plötzlich von der Bildfläche verschwanden...«, las Mike.

»Das müssen die Kerle sein, die uns gestern verfolgt haben!«, rief Danilo aufgeregt. »Sie haben ihr Versteck im Spukhaus überstürzt verlassen, weil sie wussten, dass die Polizei ihnen ganz dicht auf den Fersen war.«

»Wenn die Martinsburg ihr Versteck war, dann brauchen sie jetzt ein neues«, vermutete Mike.

»Genau. Das müssen wir finden«, sagte Jo.

»Und ihren Auftraggeber. Oder glaubt ihr wirklich, dass zwei geistige Tiefflieger wie die beiden genug Köpfchen haben, um so einen Plan in die Tat umzusetzen?«, fragte Danilo.

Jo legte ihren Kopf schief. »Du glaubst, die beiden haben einen Boss?«

»Bestimmt! Und wenn wir der Polizei nicht helfen, ihn zu finden, geht der illegale Tierhandel einfach weiter.«

Mike grinste. »Also, Sherlock Holmes – wie kommen wir an die Kerle ran?«

»Wir fahren an den Ort, an dem wir sie zuletzt gesehen haben. Vielleicht kommen sie dort noch mal vorbei«, schlug Danilo vor.

Das klang nach einem guten Plan.

Als die drei auf ihre Räder sprangen, sah Jo Mike an. »Hast du Tappsi mit in die Schule genommen?«

Mike klopfte sanft auf die Tasche, in der das kleine Krokodil versteckt war.

Jo lächelte. »Siehst du, war doch ganz einfach.«

Kapitel 8

Eine gefährliche Spur

Das graue Gebäude, an dem Mike, Danilo und Jo die beiden Gauner am Vortag beobachtet hatten, entpuppte sich als ein riesiger Laden für Tierbedarf. Hier gab es alles, was der Tierfreund benötigte: Käfige, Aquarien, Futter und in einer Sonderabteilung jede Art von Tieren, die man legal erwerben konnte. Staunend blieb Mike vor einem Aquarium stehen, in dem leuchtend bunte tropische Fische herumschwammen.

Danilo und Jo sahen sich um. Sie suchten nach Hinweisen in der Abteilung für Reptilien. Ein Verkäufer beobachtete sie und stellte sich ihnen in den Weg. »Herumlungern mögen wir hier nicht. Entweder ihr kauft etwas, oder ihr verschwindet wieder. Das hier ist schließlich kein Spielplatz.«

»Der ist aber ganz schön unhöflich«, flüsterte Jo in Danilos Ohr. »Außerdem stinkt er!«

Danilo musterte den Verkäufer. Er war ein hagerer Bursche und höchstens ein paar Jahre älter als er selbst. Unter seinen Achseln zeichneten sich Schweißflecken ab.

»Wir ermitteln in einem Fall von Tierschmuggel«, sagte Danilo selbstbewusst. »Vielleicht können Sie uns helfen.«

Er hielt dem Verkäufer den Zeitungsartikel hin. Der warf einen kurzen Blick darauf und verschränkte amüsiert die Arme vor der Brust. »Haltet ihr Kinder euch etwa für Detektive?«

Mike wurde langsam wütend, aber Danilo behielt einen kühlen Kopf. »Gestern waren hier zwei Männer. Ein kleiner, muskulöser. Und ein großer mit kurzen schwarzen Haaren und einer Sonnenbrille. Können Sie uns sagen, was die gekauft haben?«

Der Verkäufer lachte, als hätte Danilo einen guten Witz gemacht. »Darf's sonst noch was sein? Haut bloß ab, ihr kleinen Kröten.«

Jetzt reichte es Jo. Entschlossen baute sie sich vor dem Verkäufer auf: »Wissen Sie eigentlich, was das für Leute sind? Die schmuggeln vom Aussterben bedrohte Tiere in die Stadt, um Profit zu machen. Und es ist ihnen vollkommen egal, dass viele der Tiere dabei schreckliche Qualen leiden und sterben! Wenn Sie uns nicht helfen, dann machen Sie sich mitschuldig, nur damit das klar ist. Schämen sollten Sie sich!«

Mike und Danilo grinsten sich an. Jo konnte ganz schön kratzbürstig werden, wenn sie wütend war.

Der Verkäufer hob beschwichtigend die Hände. »Schon gut, schon gut. Ich helfe euch. Ich kenne die beiden Kerle nicht. Ich weiß nur, dass sie regelmäßig Futter und spezielle Ausrüstung für Terrarien bestellen. Alle paar Tage kommen sie dann vorbei und holen das Zeug ab. Sie bezahlen alles in bar, das fand ich schon immer komisch.«

»Wie bestellen sie? Telefonisch?«, fragte Danilo.

»Nee, alles per Mail. Aber die Adresse wird euch nicht viel helfen.« Er ging zu seinem Computer und schrieb die Mailadresse auf einen Zettel. »Hier. Zufrieden?«

Mike, Danilo und Jo blickten auf eine kryptische Abfolge von Zahlen und Buchstaben. Viel anfangen konnten sie damit wirklich nicht. Jedenfalls nicht ohne das dazugehörige Passwort.

Danilo gab dem Verkäufer eine Visitenkarte. »Falls Ihnen noch etwas einfällt, einfach hier anrufen.«

»Die Krokodilbande«, las der Verkäufer. »Seid ihr das?«

»Das sind wir«, sagte Danilo stolz.

Als die drei den Laden verließen, hatten Mike und Jo beide dieselbe Frage an Danilo: »Sag bloß, du hast wirklich Visitenkarten für uns gedruckt.«

»Na klar. So was braucht man als anständiger Detektiv. Wollt ihr auch welche?« Danilo händigte seinen Freunden einen kleinen Stapel Karten aus. Darauf stand in großen, roten Buchstaben:

Die Krokodilbande
Mike – Jo – Danilo
Wir lösen Ihren Fall auf jeden Fall!

»Das darunter sind unsere Handynummern«, erklärte Danilo. »Hab ich gestern Abend schnell am Computer entworfen.«

Mike grinste. »Du hast echt ’nen Knall.«

»Also, mir gefällt es«, sagte Jo.

Mike wollte gerade einen bösen Spruch über die Karten machen, als er den schwarzen Wagen sah, der auf den Parkplatz gefahren kam. »Schnell weg hier!«, rief er.

Rasch versteckten sich die drei Freunde hinter einem Stromkasten. Sie mussten sich eng dahinter zusammenquetschen, um nicht gesehen zu werden. Nervös hörten sie, wie der Wagen nur wenige Meter entfernt von ihnen parkte und zwei Türen klappten. Mike konnte niemanden sehen, dafür aber Stimmen hören. Sie klangen missmutig.

»Hoffentlich kommen wir nicht umsonst«, knurrte einer der Männer.

»Wenn das Zeug wieder nicht da ist, suchen wir uns einen anderen Lieferanten. Anweisung vom Boss.«

Die Stimmen entfernten sich. Danilo wagte einen Blick hinter dem Stromkasten hervor und sah die zwei Ganoven im Laden verschwinden. Ein Fenster des Wagens stand offen.

»Wartet hier!«, flüsterte er seinen Freunden zu.

»Was hast du vor?«

»Ich schaue mich ein wenig um.«

Mike und Jo sahen ihren Freund entsetzt an. Mike wollte Danilo packen und von dieser hirnrissigen Idee abbringen. Zu spät – schon hatte sich Danilo an den Wagen herangeschlichen und die Tür durch das Fenster geöffnet. Er kletterte hinein.

Jo beobachtete es nervös. »That's crazy …«, murmelte sie. »Ich meine, verrückt.«

»Ich weiß, was das bedeutet.« Mit klopfendem Herzen behielt Mike die Zoohandlung im Blick. Da verließen die beiden Gauner den Laden. Ihre Laune schien noch übler als vorher.

Mike winkte zu dem Wagen. »Danilo! Komm da raus!«, rief er leise.

Zu spät. Die Männer waren schon fast beim Wagen. Der Hüne mit der Sonnenbrille sah seinen Kumpan böse an. »Hast du schon wieder die Tür offen gelassen? Wie oft habe ich dir gesagt, du sollst aufpassen! Es fehlt uns gerade noch, dass jemand den Wagen klaut.«

Murrend stieg der Muskelmann auf den Beifahrersitz. Der Typ mit der Sonnenbrille nahm hinter dem Steuer Platz und startete den Motor. Bestürzt mussten Mike und Jo mitansehen, wie der Wagen zusammen mit Danilo davonfuhr.

»Ihnen nach!«, zischte Jo.

Das ließ Mike sich nicht zweimal sagen. In halsbrecherischem Tempo raste er auf seinem Fahrrad hinter dem Wagen her. Dabei schickte er ein stummes Gebet gen Himmel, dass die beiden Ganoven nicht auf die Autobahn fuhren. Dort hatten Mike und Jo keine Chance, ihnen zu folgen. Nicht auszudenken, was dann geschehen konnte!

An einer großen Kreuzung bog der Wagen plötzlich ab und war verschwunden. Verzweifelt sah Jo sich um. Hier gingen mehrere Straßen in alle Richtungen, und sie hatte keine Ahnung, welche davon die beiden Gangster genommen hatten.

»Wir müssen ihn suchen«, beschloss sie.

Was blieb ihnen auch übrig? So schnell sie konnten fuhren sie die Straßen der Gegend ab. Als Mike schon nicht mehr daran glaubte, Danilo wiederzufinden, entdeckte er den Wagen auf einem Parkplatz. Die beiden Ganoven saßen in einem Schnellimbiss um die Ecke und stopften sich mit Hamburgern voll. Ohne nachzudenken ließ Mike sein Rad fallen und rannte zu dem Wagen. Jo folgte ihm. Vorsichtig pochte Mike gegen die Kofferraumklappe.

»Danilo, bist du da drin?«

Er hörte nur ein leises Klopfen.

»Warte, wir holen dich da raus.«

Der Kofferraum war nicht abgeschlossen. Mike hielt Wache, während Jo möglichst leise den Kofferraumdeckel öffnete. Danilo streckte ihnen grinsend den Kopf entgegen. »Da seid ihr ja endlich, ihr Schlafmützen.«

Mike und Jo spürten, wie eine Zentnerlast von ihren Schultern fiel. »Mach das bloß nie wieder!«, schimpfte Mike.

Danilo hüpfte aus dem Wagen und streckte sich. »Wieso nicht? Ist viel bequemer, als den Kerlen auf dem Rad zu folgen. Und außerdem viel effektiver!«

Triumphierend zog er ein Notizbüchlein hervor, das er seinen Freunden zeigte.

»Was ist das?«, fragte Jo.

»Das hab ich einem der Kerle aus der Jacke geklaut, die ich im Kofferraum gefunden habe. Da stehen ein paar interessante Sachen drin. Adressen, Namen, Telefonnummern und Codes. Ich fresse einen Besen, wenn wir da nicht auch das Passwort zu der Mailadresse finden!«

Jos Augen leuchteten. »Das ist der Jackpot! Los, Leute. Gehen wir zu mir. Wir können meinen Computer benutzen.«

Kapitel 9

Ein ungebetener Gast

Tappsi krabbelte über Jos Schreibtisch und blickte mit seinen großen Bernsteinaugen auf den Computermonitor. Während Mike ihn mit winzigen Fleischstückchen fütterte, tippte Jo auf der Tastatur herum und probierte sämtliche Passwortkombinationen aus, die sie in dem gestohlenen Notizbuch fand. Der Computer quittierte jeden Versuch mit derselben Meldung: »Passwort ungültig. Bitte versuchen Sie es noch einmal.« Frustriert sank sie in ihren Stuhl. »Das ist sinnlos. A waste of time.«

Mike kam mit einer Tüte Chips, Limo und Schokolade ins Zimmer. »Nicht aufgeben, Jo. Hier, ich hab uns was zur Stärkung besorgt.«

Hungrig stürzten sich Danilo und Jo auf die Süßigkeiten. Jo stopfte sich die halbe Schokolade auf einmal hinein. Als sie die belustigten Blicke der Jungs bemerkte, wurde sie rot. »Meine Mama kauft niemalf Fokolade, dabei mag ich fie fo gern«, sagte sie mit vollem Mund.

Danilo blätterte weiter im Notizbuch, bis er auf der letzten Seite angelangt war. In der Ecke des Umschlags fand er eine mit Bleistift geschriebene Zahl: 123456

»Hast du das schon probiert?«, fragte er Jo.

Sie schüttelte den Kopf. »Niemand ist so blöd und verwendet das als Passwort. Das ist doch viel zu unsicher.«

Auf gut Glück tippte Danilo die Zahlenfolge ein. Zur Überraschung aller zeigte der Bildschirm plötz-

lich eine lange Liste von Mails. »Wir sind drin!«, rief er triumphierend.

Schlagartig saßen alle drei vor dem Monitor und arbeiteten sich durch die Mails der Gauner. Immerhin waren sie schlau genug gewesen, keine Namen oder Kontodaten preiszugeben. Dafür entdeckte Jo eine Adresse.

»Seht mal: Birkenallee 17… dort wurden mehrere Treffpunkte vereinbart.«

»Der Ort muss als Umschlagsplatz für die illegal gehandelten Tiere gedient haben. Dort wurden sie verladen und zu ihren Käufern gebracht«, überlegte Danilo. Er erschrak, als er sah, dass Jo ganz bleich war. »Was ist denn, Jo?«

Es dauerte eine Sekunde, bis Jo sprechen konnte. »Ich dachte mir gleich, dass mir Birkenallee 17 irgendwie bekannt vorkommt. Das ist die Adresse von Professor Lenk.«

Erschrocken sahen die Jungs sie an. »Soll das heißen, er steckt in der Sache mit drin?«, fragte Mike.

Danilo strich sich mit den Händen durch das Haar. »Na klar. Überlegt mal: Sein riesiger Privatzoo muss ein Vermögen kosten! Der Professor braucht viel Geld. Und wer würde schon glauben, dass der berühmte Forscher der Hintermann einer Bande von Tierschmugglern ist?«

»Niemand«, sagte eine dunkle Stimme hinter der Tür. »Deswegen funktioniert es.«

Mike, Danilo und Jo wirbelten erschrocken herum.

»Wer ist da?«, rief Jo.

Die Tür ging auf und Professor Lenk stand vor ihnen.

Jo und Mike waren bleich wie die Wand und brachten kein Wort heraus. Danilo war der Erste, der seine Sprache wiederfand: »Wie lange sind Sie schon hier?«

»Lange genug«, sagte Professor Lenk. »Jo, ihr solltet eure Terrassentür wirklich nicht offen stehen lassen, wenn ihr keinen Überraschungsbesuch im Haus haben wollt.« Er verschränkte die Arme vor der Brust und sah die Kinder streng an. »Setzt euch!«, befahl er.

Mike, Danilo und Jo setzten sich. Sie waren so überrumpelt, dass sie keinen Widerstand leisteten. Der Professor musterte sie einen nach dem anderen, ehe er weitersprach.

»Ich wusste, dass es eine dumme Idee ist, die Bezahlung für meine Lieferanten in einem Brief zu verschicken. Aber meine Partner waren der Meinung, dass Banküberweisungen zu gefährlich sind, weil jede digitale Überweisung Spuren hinterlässt. Ich weiß nicht, wie ihr auf das Versteck in der Martinsburg gestoßen seid, aber ich vermute, dass es etwas mit meinem verschwundenen Geld zu tun hat. Ihr drei kleinen Schnüffler habt eure Nasen tief in Dinge gesteckt, die euch nichts angehen. Damit habt ihr mir ziemlich viel Ärger bereitet. Aber jetzt ist Schluss mit den Detektivspielchen. Ihr drei händigt mir jetzt sofort das Krokodil aus. Und natürlich das Geld.«

Auch wenn Danilo Angst hatte, konnte er nicht einfach dasitzen und schweigen. »Damit kommen Sie nicht durch! Wir werden zur Polizei gehen!«

Professor Lenk lachte amüsiert. »Ach ja? Und wem wird die Polizei wohl glauben? Ein paar Rotznasen, die Detektiv spielen und keinerlei Beweise in ihren Händen halten? Oder einem weltbekannten Forscher, der jedes Jahr Geld an den Tierschutz spendet?«

Bei so viel Skrupellosigkeit war selbst Danilo sprachlos. Die drei Freunde wussten, dass sie verloren hatten. Der Professor hatte recht: Diese abenteuerliche Geschichte würde ihnen niemand glauben, solange sie keine stichhaltigen Beweise hatten. Niedergeschlagen ließen sie die Köpfe hängen.

Professor Lenk nickte selbstzufrieden und öffnete die Tür: »Giorgio! Frank! Kommt rein!«

Zum Entsetzen der drei Kinder betraten zwei alte Bekannte das Zimmer: der Mann mit der Sonnenbrille und das Kraftpaket. Sie arbeiteten also wirklich im Auftrag von Professor Lenk! Frech grinsten sie Mike, Danilo und Jo an. »So sieht man sich wieder. Da staunt ihr, was?«

Der Professor knurrte ungeduldig. »Das Geld und das Tier – wird's bald?«

Danilo kramte in seinem Rucksack, in dem er den Brief mit dem Geld mit sich herumtrug. Er händigte ihn dem Mann mit der Sonnenbrille aus, der das Geld abzählte und zufrieden nickte: »Alles da.«

Mike kümmerte sich um Tappsi. Vorsichtig nahm er das kleine Krokodil auf seine Hand und legte es in die Schachtel. »Mach's gut, Tappsi«, flüsterte er. Schweren Herzens reichte er die Schachtel an das Kraftpaket weiter.

Professor Lenk bedeutete seinen Gehilfen, zu verschwinden. Dann wandte er sich noch einmal an die Kinder: »Es war klug von euch, keine Mätzchen zu machen. In eurem eigenen Interesse rate ich euch, den Mund zu halten und euch keine weiteren Dummheiten einfallen zu lassen. Sonst werdet ihr mehr Ärger bekommen, als euch lieb ist. Haben wir uns verstanden?«

Mike, Danilo und Jo nickten stumm.

Der Professor zog die Tür hinter sich zu und verschwand.

Im Zimmer breitete sich drückende Stille aus. Keiner der drei Freunde wusste, was er sagen sollte. Mike stellte sich ans Fenster und beobachtete, wie der finstere Professor und seine Helfer mitsamt Tappsi in den Wagen stiegen und verschwanden. Er war den Tränen nahe.

»Mike … weinst du etwa?«, fragte Jo.

Beschämt wischte Mike sich übers Gesicht und schüttelte den Kopf. »Diese Mistkerle haben Tappsi mitgenommen. Was werden sie jetzt mit ihm anstellen?«

»Teuer verkaufen, wahrscheinlich«, seufzte Danilo.

Jo versuchte, Mike zu trösten. »Bestimmt kommt er zu jemandem, der sich gut um ihn kümmert.«

Das wollte Mike gern glauben. Genauso gut bestand aber auch die Möglichkeit, dass Tappsi einen neuen Besitzer fand, der ihn verkümmern und verhungern ließ. Bei dem Gedanken spürte Mike einen Stich im Herzen. Er hatte das kleine Krokodil wirklich lieb gewonnen.

Jo ließ sich auf ihr Bett fallen und streckte alle viere von sich. Sie war zugleich traurig und wütend. »Professor Lenk hat gewonnen. Er wird einfach weitermachen und exotische Tiere hierherschmuggeln. Aber dieses Mal wird er vorsichtiger sein und sich nicht so einfach erwischen lassen.«

»Es ist alles verloren. Wir können nicht mal die Polizei rufen, wenn wir keinen Ärger bekommen wollen«, sagte Mike düster.

Danilos Augen begannen plötzlich zu leuchten. Das taten sie immer, wenn er eine Idee hatte. »Vielleicht auch nicht!«, sagte er.

Neugierig sahen Mike und Jo ihn an. »Warum hast du plötzlich so gute Laune?«

»Ich gebe zu: Diese Runde ging an die Tierschmuggler. Aber das Spiel ist noch lange nicht vorbei. Und Professor Lenk hat einen großen Fehler gemacht.« Danilo machte eine geheimnisvolle Pause, bis er mit entschlossener Stimme fortfuhr: »Wenn er denkt, dass wir aufgeben, hat er die Krokodilbande gewaltig unterschätzt!«

Mike schöpfte Hoffnung. »Sag bloß, du hast einen Plan.«

Danilo grinste. »Und wie!«

Kapitel 10

Ein riskanter Plan

Fröhlich pfeifend trat Felix in die Pedale seines gelben Postrads. Es war ein Morgen ganz nach seinem Geschmack. Die Sonne schien am wolkenbetupften Himmel und ein warmer Wind trug den Duft von gemähtem Gras mit sich. An einem Tag wie heute war es eine Freude, seinen Job zu machen. Am Haus der Familie Busch hielt er an und holte zwei Briefe aus seiner Tasche hervor. Er hatte sie gerade in den Briefschlitz geschoben, als drei Schatten neben ihm auftauchten. Die Jungs erkannte er sofort.

»Mike! Danilo! Wo kommt ihr denn plötzlich her? Und wer ist eure Freundin?«

Jo reichte ihm die Hand. »Ich bin Jo-Anne, aber alle sagen Jo zu mir.«

Felix lehnte sich auf den Lenker seines Rads und sah die drei Kinder an. »Kann ich euch bei irgendwas helfen?«

»Du kannst nicht nur, du musst«, platzte es aus Mike heraus.

Felix runzelte die Stirn. »Ach ja? Das klingt ja geheimnisvoll. Dann schießt mal los.«

Danilo warf einen prüfenden Blick über seine Schulter, um ganz sicherzugehen, dass sie niemand belauschte. »Wir müssen einer Verbrecherbande das Handwerk legen.«

»Wirklich? Dann ruft besser die Polizei.«

»Das können wir nicht«, ereiferte sich Mike. »Die Polizei glaubt uns doch kein Wort. Wir brauchen einen Erwachsenen, der uns hilft, die Männer zu stoppen. Da haben wir an dich gedacht. Dir vertrauen wir. Wenn du uns nicht hilfst, dann ist es vielleicht bald zu spät und ein unschuldiges Tier muss leiden.«

Das klang sehr dramatisch. Felix kratzte seinen roten Haarschopf. »Ich würde euch wirklich gern helfen, aber wie seid ihr auf mich gekommen?«

»Ich bin mir sicher, du bist mutiger, als du denkst«, sagte Mike.

Da hatte Felix seine Zweifel. »Nett von dir, Mike. Aber ich bin der Falsche.«

Er wollte weiterfahren, als Danilo sich ihm in den

Weg stellte. »Felix! Es ist wirklich wichtig. Bitte, hör dir wenigstens an, was wir zu sagen haben.«

Felix atmete tief durch. Er wusste, dass er das wahrscheinlich bereuen würde, doch er mochte Mike und Danilo sehr gerne. »Also gut. Wir treffen uns nach dem Ende meiner Schicht in der Eisdiele und ihr erzählt mir in Ruhe, worum es geht. In Ordnung?«

Mike und Danilo strahlten. »In Ordnung!«

Einige Stunden später saßen Mike, Danilo, Jo und Felix vor vier großen Eisbechern. Felix lauschte Danilos Bericht. Den kleinen Streich, den sie ihm gespielt hatten, ließ Danilo aus und begann damit, wie sie den Umschlag mit Geld gefunden hatten. Felix drückte sich gespannt in den Stuhl, als Danilo von der unheimlichen Spurensuche im Keller der Martinsburg berichtete, und schüttelte den Kopf, als er von Professor Lenk und der anschließenden Verfolgungsjagd hörte. Danilo schloss seine Erzählung mit dem traurigen Finale, wie die Tierschmuggler ihnen Tappsi weggenommen hatten.

Felix war sichtlich mitgenommen. Es dauerte einen Augenblick, bis er seiner Empörung Ausdruck verleihen konnte: »So eine Sauerei! Eine himmelschreiende Ungerechtigkeit ist das. Und ihr glaubt wirklich, dass diese Verbrecher einfach weitermachen wie bisher?«

»Wer würde uns schon glauben? Die Polizei hat die Spur verloren und Professor Lenk wird bestimmt nicht noch einmal denselben Fehler machen«, sagte Jo düster. »Wenn du uns nicht hilfst, hat er gewonnen.«

Felix sprang auf und ging wie ein Tiger im Käfig hin und her. »Also gut, ich bin dabei!«, sagte er entschlossen.

Mike, Danilo und Jo klatschten jubelnd ab. Felix setzte sich wieder zu ihnen an den Tisch und beugte sich nach vorne. »Was soll ich tun?«

»Ganz einfach: Du gehst zu Professor Lenk und gibst dich als reicher Tierliebhaber aus, der unbedingt ein seltenes Reptil besitzen will. Eines, das vom Aussterben bedroht ist! Du bist bereit, dafür jeden Preis zu bezahlen.«

Felix schaute Mike zweifelnd an. »Ihr meint also, ich soll direkt in die Höhle des Löwen gehen? Und ihr glaubt, dass euer Plan funktioniert?«

»Keine Sorge, wir sind bei dir«, sagte Jo.

»Wir lassen uns was einfallen, wie wir in Kontakt bleiben können«, fügte Mike hinzu. »Falls Professor Lenk misstrauisch wird, holen wir Hilfe.«

Bevor Felix es sich anders überlegen konnte, schleppten die drei Freunde ihn zu sich nach Hause. Mike sorgte dafür, dass er seinen besten Anzug anzog und dazu Schuhe aus Leder und ein weißes Hemd. Jo hatte eine Goldkette und ein paar Ringe mitgebracht, die sie sich von ihrem Vater geliehen hatte. Danilo frisierte ihm die Haare mit Gel, sodass Felix die richtige Frisur zu dem eleganten Outfit hatte.

»Wie sehe ich aus?«, fragte er, als die Prozedur beendet war.

Mike, Danilo und Jo betrachteten ihr Werk zufrieden. Das Ergebnis war wirklich beeindruckend: Aus dem schlaksigen, rotschopfigen Postboten war ein junger Millionär geworden, der seinen Reichtum offen zur Schau trug.

»Du siehst toll aus«, sagte Jo.

Mike grinste. »In dem Outfit musst du Sarah zum Essen ausführen.«

Felix' Gesicht wurde so rot wie seine Haare. »Woher weißt du von Sarah? Das habe ich niemandem erzählt.«

»Das sieht selbst meine kurzsichtige Oma, dass du für sie schwärmst«, lachte Mike.

»Jetzt hört schon auf, Felix zu ärgern«, ergriff Danilo das Wort. »Felix, wir müssen dich noch verkabeln, damit wir alles mithören können. Ich habe von unseren Computerleuten in der Schule ein Funkmikro ausgeliehen. Die wollten fast mein gesamtes Erspartes als Pfand, also mach es bloß nicht kaputt!«

Staunend sah Felix mit an, wie Danilo ihm ein winziges Mikro an den Kragen seines Anzugs steckte. Das Kabel wurde unter seinem Hemd verborgen und der Sender verschwand in der Hosentasche. Prüfend hielt Danilo den Empfänger an sein Ohr. »Sag mal was!«

»Ähm, könnt ihr mich hören?«, flüsterte Felix.

Danilo nickte strahlend. »Perfekter Empfang! Wir sind bereit.«

»Let's go!«, rief Jo.

Als sie das Haus verließen, drückte Mike Felix einen Autoschlüssel in die Hand und deutete auf einen großen, schwarzen Mercedes, der auf der anderen Straßenseite geparkt war.

»Du fährst!«, sagte er.

Felix' Blick wanderte von dem Mercedes zu dem Schlüssel, dann zu den Kindern, dann wieder zu dem Auto. Er konnte es nicht fassen. »Wo habt ihr denn den Wagen aufgetrieben?«

»Du kannst ja wohl schlecht auf deinem Postrad bei Professor Lenk vorfahren«, gab Danilo zu bedenken.

»Der Wagen ist von meinem Onkel. Zum Glück kennt er dich, sonst hätte er ihn nie rausgerückt. Er

hat ihn vorhin vorbeigebracht. Heute Abend will er ihn zurückhaben. Und ich musste ihm versprechen, die nächsten zwei Jahre seinen Rasen zu mähen. Wehe, du fährst eine Delle rein!«, sagte Mike.

Staunend ließ Felix seine Finger über die schwarz glänzende Oberfläche gleiten und seine Augen leuchteten. »So ein Auto wollte ich schon immer mal fahren.«

Jo öffnete die Fahrertür und schob Felix in den Wagen. »Dann los! Wir haben keine Zeit.«

Felix setzte sich ans Steuer. Mike nahm auf dem Beifahrersitz Platz, Danilo und Jo auf der Rückbank. Danilo gab Felix letzte Anweisungen.

»Auf dem Gelände sind überall Kameras. Du musst uns ein paar Hundert Meter davor aus dem Wagen lassen. Wir verstecken uns in der Nähe und überwachen dich per Funk. Wenn was schiefläuft, rufen wir sofort die Polizei. Alles klar?«, fragte Danilo.

Felix umklammerte das Lenkrad, als wollte er es zerquetschen. »Alles klar«, sagte er. »Dann drückt mal die Daumen, dass alles gut geht.«

Dann startete er den Motor.

Kapitel 11

Murphys Gesetz

Der junge Mann, der auf dem Monitor zu sehen war, wirkte nervös. Vor einigen Minuten hatte er seinen schwarzen Mercedes in der Auffahrt geparkt und einen staunenden Blick auf die Tiergehege geworfen. Professor Lenk hatte jeden seiner Schritte auf Überwachungsmonitoren verfolgt, bis sein Diener ihn in sein Büro geleitet hatte. Dort wartete der Fremde nun mit den Händen in der Hosentasche und sah sich um. Er wirkte wie einer jener Jungmillionäre, die das Vermögen ihrer Eltern verprassten und sich aus purer Langeweile immer neue, teure Spielzeuge anschafften. Genau seine Kundschaft also. Professor Lenk blieb trotzdem misstrauisch. Als sein Diener an ihn herantrat, warf er ihm einen strengen Blick zu: »Lass ihn nicht aus den Augen. Und überprüf seine Personalien. Ich hatte genug unangenehme Überraschungen diese Woche.«

Der Diener nickte und setzte sich an die Überwachungsmonitore. Professor Lenk ging in sein Büro und empfing den Fremden mit einem Lächeln.

»Guten Tag, Herr Steinmetz.«

Immerhin hatte sein Diener daran gedacht, am Tor nach dem Namen zu fragen.

»Von Steinmetz«, beeilte sich der junge Rotschopf zu verbessern. »Felix von Steinmetz.«

»Ach, Sie haben adlige Wurzeln?« Das gefiel Professor Lenk.

Der junge Mann lächelte. »Väterlicherseits, wenn Sie es genau wissen wollen.«

»Nun gut.« Professor Lenk setzte sich an seinen Schreibtisch und faltete erwartungsvoll die Hände. »Was kann ich für Sie tun, Herr von Steinmetz?«

Felix spürte, dass seine Kehle trocken wurde. Worauf hatte er sich da eingelassen? Er musste sich zusammenreißen. »Ich, ähm, also ...«

Der Professor hob die Brauen. »Ja?«

Einige Hundert Meter weiter saßen Mike, Danilo und Jo in einer verlassenen Scheune vor dem Funkempfänger und hörten alles mit. Als Felix die Stimme versagte, hielten sie den Atem an. »Sag doch was!«, flehte Mike.

Felix räusperte sich und suchte nach Worten. »Ich – also, ich brauche Ihren Rat. Sie sind doch Experte für seltene Tiere, nicht wahr?«

Ein geschmeicheltes Lächeln huschte über die Lippen des Professors. »Ich genieße in diesem Bereich eine gewisse Anerkennung, könnte man sagen.«

Felix nahm all seinen Mut zusammen. »Ich würde gern ein Reptil erwerben.«

»Da sollten Sie sich am besten an den Fachhandel wenden. Ich kann Ihnen ein paar Kontakte empfehlen …«

»Nein, Sie verstehen nicht. Es soll nicht irgendein Reptil sein. Sondern etwas Besonderes. Sie wissen schon. Etwas, womit man Eindruck schinden kann.«

Professor Lenk kniff die Augen zusammen und sah Felix mit stechendem Blick an. »Sie meinen also ein Tier, das man nirgendwo kaufen kann? So etwas ist illegal, das ist Ihnen doch bewusst?«

»Natürlich«, sagte Felix. »Wissen Sie, mein Vater feiert einen runden Geburtstag, und er sammelt leidenschaftlich exotische Tiere. Da dachte ich, nun ja …«

»… dass Sie ihm etwas ganz Ausgefallenes schenken wollen«, schloss Professor Lenk den Satz.

Felix nickte. »Genau!«

Es wurde still. Mike, Danilo und Jo rückten eng an das Funkgerät heran. Jetzt galt es! Entweder Professor Lenk schluckte den Köder oder Felix war in ernsten Schwierigkeiten. Mike schickte ein Stoßgebet zum Himmel. Zu dritt standen sie vor dem Funkgerät und lauschten.

Die Finger von Professor Lenk trommelten auf dem gläsernen Schreibtisch. »Sie wissen, dass ich mich leidenschaftlich für den Tierschutz einsetze.«

Felix spielte an der goldenen Halskette. »Tierschutz ist auch mir ein wichtiges Anliegen. Wir, also mein Vater und ich, kümmern uns gut um unsere Tiere.«

»Das freut mich zu hören.« Professor Lenk erhob sich von seinem Stuhl. »Sagen wir, ich würde jemanden kennen, der Ihnen bei Ihrem ungewöhnlichen Anliegen helfen kann…«

Felix zückte einen als Scheckbuch getarnten Notizblock, den Danilo ihm vorsorglich in die Brusttasche gesteckt hatte. »Nennen Sie mir Ihren Preis!«

Beschwichtigend hob der Professor die Hände. »Nicht so schnell, mein Freund. Solche Dinge brauchen Zeit. Meine Partner sind sehr vorsichtig.

Sie werden Fragen stellen. Wer Sie sind, zum Beispiel.«

Mike, Danilo und Jo tauschten vielsagende Blicke. Felix war weder reich noch adlig. Wenn sich einer die Mühe machte, seine Identität zu überprüfen, würde der Schwindel sofort auffliegen. Danilo und Jo zweifelten, ob das alles gut gehen würde, das konnte Mike an ihren Gesichtern ablesen. Mike dagegen glaubte fest an seinen Freund: »Felix kriegt das hin! Ihr werdet sehen!«

Der junge Postbote gab sich enttäuscht. »Aber Professor Lenk, der Geburtstag meines Vaters ist schon morgen! Geld spielt keine Rolle! Wenn Sie mir helfen würden, wäre ich bereit, den doppelten Preis zu bezahlen. Ach was, den dreifachen!«

Hinter Professor Lenks Stirn arbeitete es. Das Angebot war verlockend. Zu verlockend für seinen Geschmack. Sein Diener betrat das Büro und stellte ein Tablett mit Getränken ab. Dann beugte er sich zu Professor Lenk hinunter.

»Hast du den Kerl überprüft?«, fragte der Professor leise.

Der Diener machte ein finsteres Gesicht. »Er arbeitet auf jeden Fall nicht für die Polizei, so viel ist sicher. Und im Internet finde ich keinen Felix von Steinmetz. Ich suche weiter.«

Der Professor nickte. »Tu das.«

Felix sah die beiden tuscheln, ohne sie zu verstehen. Aber er wusste, dass ihm nur wenig Zeit blieb. Als der Diener wieder verschwunden war, ging er auf den Professor zu. »Ich muss Ihre Entscheidung hören. Können Sie mir helfen? Oder muss ich mich an jemand anderen wenden?«

Quälende Sekunden des Schweigens vergingen, bis Professor Lenk sich entschied. Er setzte ein Lächeln auf. »Den dreifachen Preis, sagten Sie?«

Felix machte ein wichtiges Gesicht und nickte. Vor Aufregung bekam er fast keine Luft. Er hatte den Professor an der Angel! Er kam sich vor wie ein Geheimagent in großer Mission. Ein tolles Gefühl.

»Ganz zufällig haben wir etwas, das für Sie interessant sein könnte. Ein Siam-Krokodil, etwa zwei bis drei Wochen alt. Äußerst selten, sehr wertvoll«, sagte Professor Lenk.

»Das ist perfekt. Ich nehme es!«, sagte Felix.

Mike ballte seine Hände zu Fäusten, als er das hörte. »Diese Mistkerle wollen wirklich unseren Tappsi verkaufen.«

»Pst!«, zischte Jo und lauschte.

Schon sprach der Professor weiter: »Ich werde meine Männer informieren. Die Übergabe wird…«

Plötzlich war nur noch Rauschen aus dem Funkgerät zu hören. Sie hatten Felix verloren!

»Wo wird die Übergabe stattfinden? Wo?«, rief Mike. Als ob ihn Felix hören könnte.

Danilo drehte an den Knöpfen und rüttelte an dem Funkgerät. Vergeblich.

»Was hast du da für einen Mist besorgt!«, schimpfte Mike.

»Versuch es weiter, Danilo! Felix zählt auf uns!«, rief Jo.

Verzweifelt probierte Danilo es weiter und zog an der Antenne, bis nicht mal mehr ein Rauschen aus dem Gerät zu hören war. Mike wurde bleich. Jo ließ die Schultern hängen. »Das ist Murphys law.«

»Murphys… was?«, fragte Mike.

»Murphys Gesetz. Was schiefgehen kann, geht auch schief.«

»Aber warum ausgerechnet jetzt?« Danilo hätte heulen können vor Wut.

Felix ahnte nichts von alldem. Er folgte seinem Gastgeber durch einen langen Korridor. Professor

Lenk hatte das Handy am Ohr und telefonierte mit seinen Männern. Lächelnd warf Felix einen Blick auf das versteckte Funkmikro, das an seinem Kragen hing.

»Mike, Danilo, Jo – ich hoffe, ihr könnt mich gut hören. Die Sache ist geritzt! Ruft die Polizei!«

Er fühlte sich stark und mutig wie noch nie. Er wusste nicht, dass er in diesem Augenblick völlig auf sich allein gestellt war.

Kapitel 12

Die Krokodilbande in Aktion

Professor Lenk führte seinen Gast hinter das Haus. »Ich habe meine Männer informiert. Sie sind bereits auf dem Weg und werden Ihnen das Tier übergeben.«

Felix brachte ein Lächeln zustande. »Mein Vater wird sich bestimmt sehr freuen.«

Der grimmig dreinblickende Diener erschien in der Tür.

»Entschuldigen Sie mich bitte.« Professor Lenk ging zu ihm und unterhielt sich leise. Felix konnte sehen, dass die beiden immer wieder zu ihm hinüber blickten. Sie sprachen über ihn! Das machte ihn misstrauisch. Zum Glück schien alles in Ordnung zu sein, denn der Diener verschwand wieder und Professor Lenk hatte ein Lächeln auf dem Gesicht.

»Darf ich Ihnen zum feierlichen Abschluss unseres Geschäfts noch etwas zu trinken anbieten? Champagner vielleicht?«

Felix schluckte nervös. »Nein danke. Ich muss noch fahren.«

Das Dröhnen eines Motors war zu hören und ein Wagen mit verdunkelten Scheiben donnerte auf den Hof. Zwei Männer – einer mit Sonnenbrille, der andere mit muskulösen Armen – stiegen aus und holten eine Box aus durchsichtigem Plastik aus dem Kofferraum, die sie dem Professor übergaben. Stolz präsentierte er Felix die Ware: ein kleines, braun geflecktes Krokodil, das ihn mit großen Augen ansah.

»Ein Prachtexemplar, wie Sie sehen. Es ist kerngesund und sehr aufgeweckt. Ihr Vater wird seine Freude daran haben.«

Felix atmete erleichtert durch und wollte die Box gerade entgegennehmen, als einer der Männer die Sonnenbrille abnahm und ungläubig die Augen aufriss.

»Moment mal! Ich kenne den Kerl. Der ist genauso wenig adelig, wie ich es bin. Das ist doch … Felix! Unser Postbote!«

Felix spürte, wie sein ganzer Körper sich verkrampfte. Er war aufgeflogen! Schlagartig verschwand das Lächeln vom Gesicht des Professors. »So ist das also«, knurrte er.

Felix hob die Hände und wich zurück. »Das muss eine Verwechslung sein. Ich bin kein Postbote…«

Professor Lenk trat bedrohlich nah an ihn heran. »Sie wollten mich also für dumm verkaufen? Das wird Ihnen noch leidtun, das verspreche ich Ihnen! Giorgio! Frank! Packt den Kerl und haltet ihn fest.«

Schneller als Felix reagieren konnte, hatten die beiden Männer ihm brutal die Hände auf den Rücken gedreht. Der Mann mit der Sonnenbrille grinste. »Er wollte doch unbedingt ein Krokodil haben. Vielleicht sollten wir ihm ein ausgewachsenes Exemplar zeigen.«

Felix bekam weiche Knie. »Sie wollen mich doch nicht wirklich an ein Krokodil verfüttern?«

»Warum nicht?«, knurrte Professor Lenk. »Die Idee ist gar nicht so übel. Los, sperrt den Kerl in den Keller. Da kann ihn niemand hören.«

»Mike! Danilo! Jo! Helft mir!«, schrie Felix.

Sosehr er sich auch wehrte, die Kerle hielten ihn fest gepackt und schoben ihn unbarmherzig zurück ins Haus. Er hatte die Hoffnung schon aufgegeben, als plötzlich eine Sirene zu hören war.

Professor Lenk und seine Ganoven erstarrten.

Wenige Augenblicke später brausten mehrere Einsatzwagen der Polizei in den Hof. Sie hatten das Blaulicht eingeschaltet und bremsten so scharf, dass sie über den Kies schlitterten. Ein Dutzend Polizisten sprang aus den Wagen. Einige von ihnen zogen ihre Waffen.

Ein Mann mit Glatze und schwarzer Lederjacke ging auf Professor Lenk zu und zeigte seine Marke. »Kriminalhauptkommissar Martin. Pfeifen Sie Ihre Männer zurück und lassen Sie ihn gehen!« Er deutete auf Felix.

Professor Lenk nickte seinen Gehilfen zu. Sie ließen Felix los.

Mike, Danilo und Jo sprangen aus einem Polizeiauto und umarmten ihn stürmisch.

»Mensch, Felix! Bin ich froh, dich zu sehen«, rief Mike.

»Du hast uns ganz schön Angst eingejagt«, sagte Danilo.

»Zum Glück ist alles gut gegangen. Das hast du toll gemacht«, fügte Jo hinzu.

Felix atmete tief durch. »Wo wart ihr so lange? Ich dachte schon, ihr hört mich nicht.«

»Haben wir auch nicht, zumindest eine Zeit lang«,

gab Danilo kleinlaut zu. »Wir hatten den Kontakt verloren und dann ist auch noch das Gerät ausgefallen. Aber wir haben's wieder hinbekommen. Gerade noch rechtzeitig, um zu erfahren, wo die Übergabe stattfindet. Die Polizei hatten wir da schon alarmiert.«

Professor Lenk musterte die drei Kinder mit einem Blick, der kälter war als Eis. »Ihr drei seid für das hier verantwortlich? Ich hatte euch gewarnt. Legt euch nicht mit mir an! Das werdet ihr noch bereuen …«

Kommissar Martin schüttelte verärgert den Kopf. »Sparen Sie sich die Drohungen, Professor Lenk. Wir sind Ihnen schon seit Monaten auf der Spur. Die Kinder haben uns die letzten Beweise geliefert. Sie sind festgenommen.«

Professor Lenk lachte grimmig. »Sie haben nichts gegen mich in der Hand!«

»Seien Sie sich da mal nicht so sicher. Die Kinder haben das gesamte Gespräch aufgezeichnet. Und ich verwette meine Dienstmarke, dass wir bei der Hausdurchsuchung noch weitere interessante Informationen finden.« Der Kommissar wedelte mit einem Durchsuchungsbefehl vor den Augen des Professors herum und gab seinen Beamten ein Zeichen. Mit Kartons und Koffern gingen sie in das Haus, um mögliche Beweise gegen den Tierschmuggler sicherzustellen. »Sie haben das letzte Mal ein Tier gequält, Herr Professor! Führt ihn ab.«

Professor Lenk bekam Handschellen angelegt und wurde von zwei Polizeibeamten abgeführt. Er warf den Kindern einen grimmigen Blick zu, den sie mit einem siegessicheren Lächeln erwiderten.

»Sie hätten sich besser nicht mit der Krokodilbande anlegen sollen«, rief Mike stolz.

Kommissar Martin nickte zufrieden. »Das habt ihr wirklich gut gemacht, ihr drei. Aber das nächste Mal solltet ihr uns früher informieren. Dieser Professor Lenk ist ein übler Bursche, das hätte böse ausgehen können. Ihr dürft euch nicht unnötig in Gefahr begeben.«

»Gefahr ist mein zweiter Vorname«, sagte Felix augenzwinkernd.

Mike, Danilo und Jo mussten grinsen. Felix war gar nicht mehr wiederzuerkennen.

Kommissar Martin hob die Box mit Tappsi auf. »Ach, bevor ich es vergesse: Kann sich einer von euch um den kleinen Kerl hier kümmern, bis wir einen Platz für ihn gefunden haben? Ich glaube nicht, dass das Tierheim sich mit solchen Exoten auskennt. Und wir müssen auch noch die anderen Tiere auf dem Gelände versorgen.«

Mike wurde ganz aufgeregt. »Ich! Ich kann auf Tappsi aufpassen, bis Sie ein neues Zuhause für ihn gefunden haben! Bitte!« Er nahm Tappsi auf die Hand und streichelte seinen Rücken, bis das kleine Krokodil sich genießerisch auf seiner Hand streckte. »Ich hab dich echt vermisst, du kleiner Rabauke.«

Kommissar Martin lächelte, als er es sah. »Ich glaube, wir können eine Ausnahme machen, bis wir einen geeigneten Platz für ihn haben.« Dann warf er einen Blick auf die Uhr. »Die Zeit fliegt! Ihr drei Kinder solltet nach Hause gehen. Ich muss mich noch kurz mit Felix unterhalten und seine Zeugenaussage aufnehmen.«

Danilo drückte dem Kommissar noch eine Visitenkarte in die Hand. »Falls Sie mal unsere Hilfe brauchen«, sagte er. Dann folgte er Mike und Jo zu den Rädern.

Kapitel 13

Ende gut, alles gut?

Mike lag auf seinem Bett, als Danilo und Jo die Treppe hochstürmten und in sein Zimmer platzten. Sie hatten die neueste Ausgabe der Zeitung in den Händen und wedelten damit herum.

»Mike, das musst du dir ansehen!«

Mike warf einen Blick auf die Zeitung und sah das Bild des grimmig dreinblickenden Professor Lenk, der in Handschellen dem Haftrichter überstellt wurde. Dort war zu lesen:

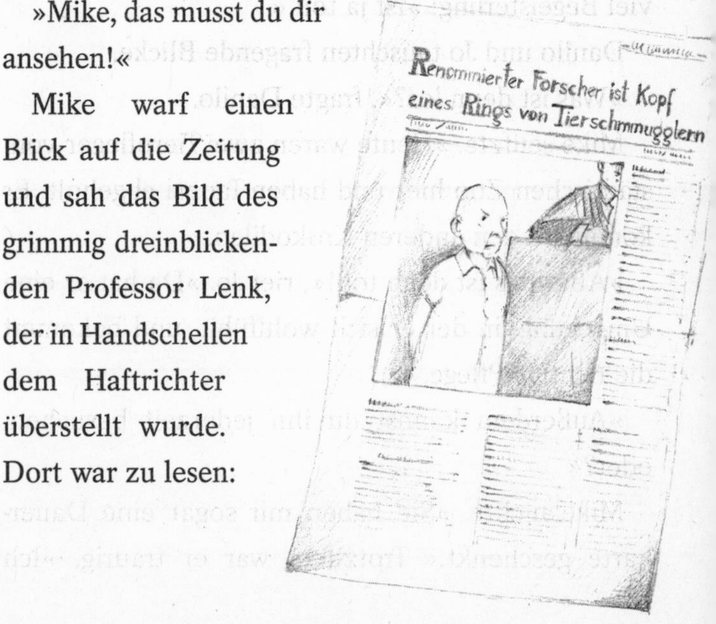

Mike überflog den Artikel und erfuhr, dass die Polizei bei der Hausdurchsuchung haufenweise Akten gefunden hatte, die auf ein riesiges Geschäft mit illegal gehandelten Tieren hindeuteten. Um seinen kostspieligen Privatzoo zu finanzieren, hatte Professor Lenk Geschäfte mit Schmugglern aus aller Welt betrieben.

»Der kann sich schon mal ein hübsches Plätzchen im Gefängnis reservieren. Da geht er nämlich hin!«, sagte Danilo triumphierend.

Mike gab ihm die Zeitung zurück und sagte ohne viel Begeisterung: »Ist ja toll.«

Danilo und Jo tauschten fragende Blicke.

»Was ist denn los?«, fragte Danilo.

Mike seufzte. »Heute waren zwei Tierpfleger vom städtischen Zoo hier und haben Tappsi abgeholt. Er kommt zu den anderen Krokodilen.«

»Aber das ist doch toll!«, rief Jo. »Da hat er eine Umgebung, in der er sich wohlfühlt, und bekommt die richtige Pflege.«

»Außerdem kannst du ihn jederzeit besuchen, oder?«

Mike nickte. »Sie haben mir sogar eine Dauerkarte geschenkt.« Trotzdem war er traurig. »Ich konnte nie besonders viel mit Tieren anfangen. Aber ich mochte Tappsi.«

»Früher oder später hättest du ihn doch abgeben müssen. So ein Krokodil kann doch nicht ewig in deiner Schreibtischschublade wohnen.«

Mike sah ein, dass seine Freunde recht hatten, und seine Laune besserte sich ein wenig. Er bemerkte, dass Danilo und Jo ein geheimnisvolles Lächeln auf den Lippen hatten. »Was grinst ihr denn so?«

Danilo gab Jo einen Schubs: »Gib du es ihm.«

Jo reichte Mike einen Umschlag. Stirnrunzelnd riss er ihn auf und fand mehrere 100-Euro-Scheine. »Was ist das?«

»Unsere Belohnung! Die hat die Polizei auf die Ergreifung der Tierschmuggler ausgesetzt«, sagte Jo.

Mike war sofort auf den Beinen und strahlte. »Und das alles gehört uns?«

»Uns allein! Wir können die Kaufhäuser leer kaufen…«, sagte Mike.

»…uns ferngesteuerte Autos besorgen. Oder Hubschrauber!«

»Also, ich würde jetzt gern erst einmal ein Eis essen«, grinste Jo.

Das klang nach einem tollen Plan. Sie fuhren in

die Eisdiele, wo Danilo und Jo sich Spaghetti-Eis bestellten. Mike bekam den berüchtigten Monsterbecher mit zwölf Kugeln und einer Extraportion Sahne obendrauf. Als die drei sich ihr Eis schmecken ließen, bemerkten sie Felix, der gemeinsam mit Sarah die Straße entlangging und ihre Hand hielt. So glücklich hatten sie ihn noch nie erlebt.

»Auch diesen Fall hat die Krokodilbande gelöst«, sagte Mike lachend. Er klatschte mit Danilo und Jo ab und dachte bei sich, dass es das Allergrößte war, so tolle Freunde zu haben. Und wer weiß – vielleicht würde die Krokodilbande bald mal wieder einen Fall übernehmen.

Literarisches Rätsel
Welttag des Buches-Quiz

Puh – am Ende wurde es noch einmal richtig spannend! Wir hoffen, dir hat es Spaß gemacht, gemeinsam mit Danilo, Mike und Jo auf Ganovenjagd zu gehen. Wenn du noch mehr spannende Aufgaben lösen möchtest, schau dir doch einmal das Quiz auf den nächsten Seiten an und teste dein Wissen über die Geschichte. Mit ein bisschen Glück kannst du tolle Preise für dich und deine Klasse gewinnen!

Wenn du die Geschichte genau gelesen hast, fällt es dir sicherlich leicht, das Quiz zu lösen. So findest du den Lösungssatz: Trage jeweils den Buchstaben, der vor der richtigen Antwort steht, auf den Strich mit der entsprechenden Nummer ein. Der Buchstabe zur Frage 1 kommt also auf den Strich mit der Nummer 1 usw. Wenn du bei einer Antwort einmal unsicher bist, darfst du natürlich auch zurückblättern und nachlesen.

Unter allen Einsendungen mit dem richtigen Lösungssatz ziehen wir 15 Gewinner, die tolle Preise gewinnen können. Wohin du den Lösungssatz schicken musst und was es zu gewinnen gibt, findest du auf den Seiten 121 und 122. Wir wünschen dir viel Spaß beim Rätseln und viel Glück!

1. Was steht in dem Einschreiben, dass der Briefträger Felix Sarah überbringt?
   U) Wollen wir einmal zusammen essen gehen?
   M) Du bist zu schnell gefahren und bist geblitzt worden.
   D) Willst du mit mir ins Kino gehen?
   K) Du hast im Lotto gewonnen!

2. Auf dem Briefumschlag, den die Freunde Danilo und Mike finden, stehen die Initialen »M.S.« und eine Adresse. Als die Freunde das Haus mit der angegeben Adresse erreichen, finden sie auf dem Klingelschild einen Namen, der mit den Initialen »M.S.« übereinstimmt. Welcher Name ist das?
   S) Martin Schneider
   V) Max Schuhmacher
   L) Michaela Schmidt
   E) Manfred Sieglar

3. Wie gelangen die Freunde Mike und Danilo auf das Gelände der Martinsburg?
   A) über eine Brücke über den Burggraben
   Q) durch einen geheimen Tunnel
   O) über eine Leiter am Burgturm
   T) durch ein loses Brett im Zaun

4. Welches Tier entdecken Mike und Danilo im Gewölbekeller der Martinsburg?
   E) ein Babykrokodil
   I) einen Riesendrachen
   M) den Wachhund der Burg
   S) eine Vogelspinne

5. Was fressen Krokodile laut Jo nicht?
   Z) Erdbeerkuchen
   C) Wackelpudding
   L) Gekochtes Essen
   W) Vanilleeis

6. Jos Mama ist Biologin. Daher weiß Jo, welche Tiere auf der Roten Liste des WWF stehen. Weißt du es auch noch?
   F) Tiere, die in Europa leben
   T) Tiere, die besonders schönes Fell haben
   B) Tiere, die rote Hörner haben
   U) Tiere, die vom Aussterben bedroht sind

7. Wie lautet das Passwort für die E-Mail-Adresse der Tierschmuggler?
   P) Ganove1
   K) 123456
   G) Tiere-sind-cool
   X) ABCDEF

Lösungssatz:
Der Postbote Felix lernt von Danilo:

»$\underset{1}{_}$u bi$\underset{2}{_}$t mu$\underset{3}{_}$ig$\underset{4}{_}$r a$\underset{5}{_}$s d$\underset{6}{_}$ den$\underset{7}{_}$st.«

Hast du den Lösungssatz gefunden?
Dann sende ihn bitte an:
Stiftung Lesen
Weltag des Buches-Quiz
Postfach 3860
55028 Mainz
Fax: 01805/224393640
E-Mail: quiz@stiftunglesen.de

WICHTIG:
Vergiss nicht, bei deiner Einsendung deine Adresse und deine Klassenstufe anzugeben. Einsendeschluss für das Quiz ist Samstag, 31. Mai 2015. Die Gewinner wer-

den unter allen richtigen Einsendungen ausgelost. Der Rechtsweg ist ausgeschlossen.

Die Lösung sowie die Gewinner werden ab Ende Juni auf unserer Internetseite unter www.stiftunglesen.de/welttag-des-buches veröffentlicht. Da sich am Welttag des Buches-Quiz jedes Jahr sehr viele Schülerinnen und Schüler beteiligen, können wir nur die Gewinner schriftlich benachrichtigen.

Die Preise:

1. Preis:

Ein eintägiger Ausflug mit der ganzen Klasse ins TV-Studio zur Aufzeichnung der ZDF tivi-Quizsendung »1, 2 oder 3« nach München

2.–10. Preis

Je ein Jahresabonnement der Zeitschrift Stafette, dem spannenden Magazin für schlaue Kids, sowie ein Buchpaket für die Klassenbibliothek

11.–15. Preis

Briefpapier-Sets und ein Buchpaket für die Klassenbibliothek

Deutsche Post

Bei allen Preisen handelt es sich um Klassenpreise.

DER AUTOR

Dirk Ahner wurde 1973 in Horb am Neckar geboren. Bereits während seines Studiums an der Ludwig-Maximilians-Universität in München begann er zu schreiben. Heute lebt er als erfolgreicher Roman- und Drehbuchautor (»Hui Buh«, »Frau Ella«) mit seiner Familie in München.

☛ LESETIPP

Ben, Lara und Nepomuk schlagen die Augen auf und blicken direkt auf die Säbelspitzen einer Bande wilder Piraten! Gerade rechtzeitig, bevor die drei als Fischfutter enden, eilt ihnen der Schiffsjunge Frederico zu Hilfe. Und auch Käpten Rotbart glaubt an eine glückliche Fügung. Schließlich purzeln nicht aller Tage drei Kinder auf seine schmutzigen Schiffsplanken. Vielleicht können die drei helfen, den Schatz des legendären Käpten Blackbeard zu bergen …

ISBN: 978-3-570-15562-2

LESEPROBE

Laden der Träume

Das Gold der Piraten

Traurig hob Filomenus Feuertal das leere Glas auf und blickte hinein. »Oh nein, nun sieh dir das an, Leopold! Alle Träume verschwunden, weg, in Luft aufgelöst.« Er sprach mit dem Laubfrosch! Der kam auf ihn zugehüpft, als ob er ihn trösten wollte. »Es hat so viele Jahre gedauert, sie zu sammeln«, seufzte der Zauberer.

»Wir machen es wieder gut!«, sagte Nepomuk. Wir können die Träume wieder einfangen und das Glas auffüllen. Wenn Sie uns erklären, wie das geht, meine ich.«

Ben und Lara nickten beipflichtend.

Ein Lächeln überflog das Gesicht des Zauberers. »Nett von euch, aber das wäre viel zu gefährlich. Um einen Traum zu fangen, muss man sich mitten hineinbegeben. Und es gibt nur einen, der helfen kann, den Traum wieder zu verlassen: der Träumende selbst. Damit das klappt, muss er aufwachen. Das kann äußerst schwierig sein, und wenn es zu lange dauert, dann …«

LESEPROBE

Lara kribbelte es. »Was ist dann?«

»Dann kann es geschehen, dass man sich in der Traumwelt verliert und nie mehr zurückfindet«, sagte Filomenus. »Aber ich habe euch schon zu viel verraten. Ihr solltet jetzt besser nach Hause gehen. Eure Eltern machen sich bestimmt schon Sorgen.«

Nepomuk wollte seinen Fehler wiedergutmachen und zumindest die Unordnung beseitigen, die er hinterlassen hatte. Er packte das schwere Kristallglas mit beiden Händen, um es zurück an seinen Platz zu stellen. Filomenus sah es und fuhr mit entsetzter Miene auf.

»Nepomuk! Nicht! Man darf das Glas nicht anfassen, wenn es offen ist!«

Da war es bereits zu spät. Ein Sturm wirbelte aus dem Glas hervor, rüttelte an den Wänden, ließ Staub von der Decke rieseln und brachte die Erde zum Erzittern. Er packte Nepomuk und wirbelte ihn durch den Raum wie ein Blatt im Wind.

»Nepomuk!«, rief Lara erschrocken und stürzte sich hinterher.

»Lara!« Ben wollte sie aufhalten, doch auch mit seinen Bärenkräften hatte er keine Chance gegen die Macht des Sturms. Die drei Kinder hielten sich aneinander fest, als sie in den Schlund des Glases gesaugt wurden und in einem Nebel wirbelnder Farben verschwanden.

Nachwort

Habt ihr geahnt, wer der Anführer der Tierschmuggler-Bande ist? Das war schon eine große Überraschung, oder? Wir hoffen, ihr hattet ganz viel Spaß beim Lesen der Geschichte und habt genauso mit der Krokodilbande mitgefiebert wie wir. Wie gut ihr über die Geschichte Bescheid wisst, könnt ihr beim Welttag des Buches-Quiz auf Seite 118 testen. Für alle Experten gibt es tolle Preise zu gewinnen!

Und jetzt ist eure Fantasie gefragt: Macht mit beim diesjährigen Schreib- und Kreativwettbewerb der Stiftung Lesen und der Deutschen Post! Stellt euch vor, während eines Zoobesuchs entdeckt ihr plötzlich in einem versteckten Stall ein ganz besonderes Tier – ein Tier, das es so normalerweise nicht gibt. Bittet die Mitglieder der Krokodilbande in einem Brief um Hilfe: Gemeinsam mit euch sollen sie herausfinden, was es mit dem Tier auf sich hat.

Dafür müsst ihr das Tier natürlich genau beschreiben – malen, kneten, aus Pappmaché basteln oder was immer euch einfällt. Dabei könnt ihr tolle Ausflüge für die ganze Klasse gewinnen. Viele der kreativen Einsendungen werden auf www.deutschepost.de/welttag-des-buches veröffentlicht. Alle Informationen zum Schreib- und Kreativwettbewerb bekommt ihr von eurer Lehrerin/eurem Lehrer oder auf der Internetseite: www.stiftunglesen.de/welttag-des-buches

Habt ihr Lust euch selbst einmal als Detektive zu versuchen? In einigen Buchhandlungen warten bei einer literarischen Schnitzeljagd spannende Aufgaben rund um das Welttagsbuch auf euch. Wenn es euch gelingt, die Fälle zu lösen, könnt ihr an einer Verlosung teilnehmen. Die Gewinner bekommen jede Menge neuen Lesestoff!

Falls ihr noch mehr über den Welttag des Buches erfahren möchtet, schaltet doch am 23. April ZDF tivi, das Kinder- und Jugendprogramm des ZDF, ein. In verschiedenen Sendungen dreht sich an diesem Tag alles um das Thema Bücher und Lesen und es gibt viele tolle Lesetipps für euch. Alle Informationen findet ihr auch im ZDF-Internetangebot für Kinder: www.zdftivi.de.

Ihr seht: Zum Welttag des Buches gibt es eine Menge spannender Aktionen! Wir wünschen euch ganz viel Spaß beim Rätseln, Schreiben, Basteln – und natürlich beim Lesen!